ANDOR

Raquel Abend van Dalen

www.suburbanoediciones.com

@suburbanocom

Diseño de cubierta: Gastón Virkel

Fotografía de cubierta: Viollete Bule

ISBN -10: 0989095398

ISBN -13: 978-0-9890953-9-6

ANDOR

I

Apagué el teléfono y me acerqué como un invitado a la llave de gas. La giré como si fuera a revivir ese momento en el que los recién nacidos respiran por primera vez afuera del vientre materno. Abrí la puerta del horno y me introduje de vuelta en esa oscuridad pura y milagrosa, en ese útero que alguna vez prometió no abandonarme. Comencé a tararear una melodía, sustituyendo mi voz por la de mi madre. La podía escuchar cantando conmigo en sus brazos. El mundo se estaba alejando de mí y yo de él. Las palabras se deshilacharon hasta dejar letras huérfanas en mi cerebro. Solo quedó el eco de su musicalidad. Ya no podía moverme, no tenía fuerzas para mantener los ojos abiertos, no podía ganar la batalla entre el arrepentimiento y la aceptación de lo que estaba pasando. Dudé al no encontrarla, pero ya era tarde.

Cuando abrí los ojos descubrí que estaba tirado en el piso, dentro de una cabina telefónica. Olía a orina. El teléfono estaba descolgado y con el cable roto. Seguía con el mismo pantalón de pijama y la misma franela negra de la noche anterior. Al levantarme me sonaron las rodillas y la espalda. Sentí los músculos un poco atrofiados. Empujé la puerta de la cabina y miré alrededor: me encontraba en una especie de estación de tren. Había rieles oxidados que aparentaban estar en desuso, y taquillas igual de viejas y abandonadas. El techo era tan alto como en las catedrales góticas. Lámparas de luz densa y amarillenta, que colgaban de unos tubos mohosos, se balanceaban como si entraran corrientes de aire por algún orificio. El suelo se veía sucio y descuidado, cualquier cosa pegajosa existía para formar parte de él.

El lugar estaba saturado de personas que parecían esperar su turno para algo. Comencé a caminar entre el gentío, tratando de recordar cómo había llegado y qué hacía ahí. Había cientos de sillas negras, la mayoría utilizadas por personas de tercera edad que veían atentamente hacia unas pantallas, mientras esperaban con un papelito en la mano, mordiéndose los labios o moviéndolos inconscientemente como si trataran de apartar una mosca de su boca. Las paredes de concreto estaban agrietadas, tenían pintura blanca desconchada, restos de afiches rotos y marcas de grafiti. Las columnas tenían carteles informativos. Me acerqué a uno de ellos y parecía estar escrito en portugués, pero no pasaron tres segundos cuando las letras ya estaban en español: "Las planillas rosadas se acabaron por el día". Pensé que había alucinado, pero luego se cambiaron a otro idioma cuando un tipo pálido y alto se acercó para leerlo. El hombre se aproximó a mí al terminar y dijo algo en alemán, de lo que solo entendí buenas tardes. Le pregunté en inglés si hablaba alguna otra lengua y me respondió que con ésa me entendía perfectamente. Él quería saber si nos habíamos conocido antes, yo le respondí que no lo recordaba; me disculpé y seguí caminando. Entre el afiche y el carajo lograron que comenzara a dolerme la cabeza.

Los funcionarios estaban sentados en escritorios, fumando con aparente desidia. Hasta la colilla caía con una insoportable pereza al suelo, acumulándose en forma de pirámide calcinada. Cada empleado tenía un bolígrafo y un sello de tinta recargable en su puesto. Personas hacían filas para que les sellaran algo parecido a una planilla bancaria y luego tomaban diferentes rutas. Seguí con la mirada a una mujer que, después de que le estamparon su documento, se metió por uno de los tres túneles que había. Supuse que eran las salidas de aquel lugar, porque nunca vi ninguna puerta. Atrás de mí había unas pantallas que anunciaban por cuál número iban en el *depósito letal*; no sé a qué coño se referían con eso. No lograba recordar cómo había llegado, ni qué estaba haciendo antes de llegar ahí.

Había una larga mesa de metal con bolígrafos y pacas de planillas azules, naranjas y grises. Miré hacia arriba y suspiré agobiado; estaba comenzando a sentir claustrofobia, como si a medida que iban pasando los minutos, el techo se hubiera acercado cada vez más a mi cuerpo. Busqué por encima de la multitud y de la capa de humo de cigarro, intentando dar con el baño. Caminé al otro extremo del lugar, atravesando la masa de gente hasta encontrarlo. Un grupo de asiáticos me vieron con disgusto mientras me abría el orificio delantero del pantalón de pijama. Subí los hombros y me concentré en relajar las nalgas y orinar. Frente a mí había un cartel de papel: *Clean up after yourself*. Esperé a que se pusiera en español, pero no pasó nada. Bajé la palanca y me lavé las manos por un largo rato. Un hombre uniformado se paró a mi lado y contempló mi mono de cuadros con cierto interés. Aproveché y le pregunté qué tenía que hacer allá afuera. El tipo, con voz cansada, preguntó por qué me encontraba ahí y le respondí que no tenía idea, entonces me dijo que agarrara una planilla rosada y que luego hiciera la fila de la mesa número tres para que la sellaran y pudiera irme. Cuando le pregunté a dónde se rió y me dio una palmada tosca en la espalda.

Al no encontrar una planilla rosada, recordé el afiche

9

informativo que cambiaba de idioma. Fui hacia una de las taquillas y pregunté cuánto tiempo debía esperar para conseguir una. La señora me respondió que a primera hora de la mañana las traerían, y se volteó para seguir conversando con otras tres mujeres que parecían no controlar sus tonos de voz. Una de ellas mordía un pitillo compulsivamente, y las otras dos se reían y se limaban las uñas mientras fumaban. Me derrumbé en un sofá a un lado de los baños públicos y recosté la cabeza del asiento. El ruido de la multitud se concentraba como un solo pito agudo que taladraba mi nuca. Intenté enfocarme en los cuerpos que me pasaban a un lado. Pasaban y pasaban, deslizando sobre mí lo más inocuo de ellos mismos, caminando sin saber que eran observados, siendo testigos de mi corta existencia, yendo quién sabe a dónde, quién sabe por qué, quién sabe a qué. Permití que mis retinas dejaran en segundo plano, como una cámara de cine, los objetos que se interponían entre los cuerpos y yo.

Decidí ir hasta la fila para ponerme en cola. Total, había un montón de personas antes que yo. Pensé que quizás iba a llegar puntual para cuando trajeran más planillas rosadas. En ese momento deseé un cigarro. Cuánto tiempo toma acostumbrarse a ese sabor y cuánto tiempo toma abandonarlo. Sentir la tranquilidad adueñándose de tu garganta hasta fundirse con el cuerpo es algo para agradecer.

La chica que tenía enfrente se volteó hasta quedar de perfil y soltó una risa incómoda. Tenía un vestido de blue jean y andaba en sandalias. Su cabello era rubio cenizo. Comencé a toser para que ella volteara y así poder verla por completo, pero no pasó nada. Eché un vistazo a mi alrededor para distraerme. Las personas de la segunda fila tenían planillas azules y grises; en la primera fila únicamente de color naranja. El hombre que me habló en alemán estaba en la primera con su planilla y una sonrisa de persona problemática. Parecía que estaba haciendo un gran esfuerzo por no echarse a llorar. Tuve curiosidad por ver qué tipo de información pedía cada documento. Aclaré mi garganta y le pregunté en inglés a la chica de blue jean en dónde había conseguido esa planilla. Se volteó tranquilamente y respondió con acento irlandés que había tomado las dos últimas rosadas. Que como suele equivocarse al llenar datos, las agarró por precavida. Observé sus facciones: los ojos eran particularmente grandes y sus mejillas abultadas. Aunque tenía la frente bastante amplia, su rostro lucía armónico. Como si dentro de su composición, todas las piezas agigantadas se sostuvieran mutuamente.

Ella dio por terminada la conversación y se volteó de nuevo. No sabía qué hacer para preguntarle si había utilizado ambas planillas. Mientras pensaba cómo decírselo sin parecer abusador, vi cómo un sujeto con un suéter de lana se acercó apoyándose en un bastón. Le dijo que nos había escuchado y que si era posible que le regalara la hoja sobrante. Ella se la dio y le ofreció ayuda para llenarla, pero él la ignoró y se fue a paso de tortuga.

Ni siquiera sabía qué hacía ahí y estaba frustrado por una puta planilla. ¿Por qué los de la otra fila podían tener dos colores? Me aclaré la garganta de nuevo, pero mi voz sonó como un eructo cuando le pedí a la irlandesa que cuidara mi puesto mientras averiguaba algo; ella puso cara de asco e hizo un gesto afirmativo. Sentía los ojos irritados: podría jurar que había una capa de smog en esa estación. Era como si me estuvieran castigando por criticar las campañas en contra del tabaco. Había un tipo uniformado en una esquina, así que me acerqué y le dije que yo estaba haciendo la fila de la tercera mesa, pero que no tenía una planilla rosada. Él aspiró de su cigarro, se rascó la barbilla y respondió que las planillas estaban en la mesa del fondo. Fruncí el entrecejo porque sentí que era

11

caso perdido, pero le expliqué que ya no quedaban. Él me dijo que entonces debía esperar a que trajeran más. Volteé hacia un lado, tosí y lo volví a mirar para preguntarle si era posible que utilizara otro color. Se comenzó a reír y me deseó buena suerte.

Volví con cara de culo a la fila y le agradecí a la chica por haberme cuidado el puesto.

—De nada —extendió su mano derecha—. Me llamo Donatella, pero todo el mundo me llama Dona.

—Tienes un bonito nombre. Dona... Dona —repetí como un loro drogado. Ella se rodó el broche de la cadenita que tenía guindando del cuello—. Mi nombre no tiene tanta personalidad.

—¿Cómo te llamas? —arrugó su cara.

—Edgar.

Me alivió notar que no mostró aversión. De hecho, juro que sentí una tensión sexual entre los dos.

—¿Estás bien?, te ves un poco pálido.

—Siempre me veo así.

Me di cuenta de que mi tono había sido un poco hostil, así que intenté compensar mi falta de tacto. Le dije que estaba frustrado por no tener la planilla rosada. Dona pareció apenarse por no haberme dado la sobrante, pero era caso perdido. Le pedí que me cuidara el puesto. Caminé alrededor de las filas, observado con atención las manos de la gente. La mayoría tenía documentos de otros colores que no fuera rosado y los sujetaban como a un objeto bendito. Nada tenía mucho sentido, pero sabía que la misión era salir de ahí. Encontré a un par de viejas que tenían más de una planilla pero estaban negadas a soltarlas. Una decía que era demasiado supersticiosa y que únicamente creía en los números pares. La otra decía que había que ser precavida en los "últimos tiempos". Me tomó un rato encontrar a alguien que aceptara desprenderse de tal cosa. Se trataba de un hombre con ganas de joder, que tenía una hoja rosada entre cada dedo. Me acerqué y le pedí que me diera una. Preguntó qué le iba a dar a cambio. Obviamente no tenía ni dinero ni un coño, pero le respondí que lo que él necesitara. Me miró de los pies a la barbilla y dijo que más adelante yo lo ayudaría en algo. Acepté el intercambio porque, después de todo, no pensaba verlo de nuevo.

Regresé a la fila y Dona me picó el ojo al ver que había logrado mi cometido. Le pedí un bolígrafo y comencé a leer el papel. Nombre, apellido, ocupación, estado civil, sexo. Fecha de nacimiento, ciudad y país de procedencia. Talla de camisa, ropa interior, medias y pantalón. Color de piel, cabello y ojos. Tipo de sangre, drogas consumidas en vida, alergias, enfermedades de transmisión sexual, enfermedades hereditarias. Carajo. Si he tenido gripe, si he tenido rabia, si he sido mordido por algún animal venenoso, si he donado sangre, si quiero donar mis órganos, si soy ateo, si fui miembro de algún culto minoritario, si practiqué magia, si tuve alguna preferencia política. Me detuve cuando sentí que tenía el bolígrafo empapado de sudor. Las preguntas se reproducían como bacterias a medida que iba leyendo. Qué estudios, qué deportes, qué *hobbies*, qué vicios, qué virtudes, qué defectos, qué pasiones, qué miedos, qué sueños, qué dificultades. Debajo, en letras rojas, había un párrafo advirtiéndome que no mintiera. Por mi propio bien. Maldita burocracia. Me armé de valor y comencé a escribir las respuestas. Casi toda la planilla exigía

13

información que ni yo mismo sabía. Me pareció raro que no preguntaran la cédula de identidad; después de todo, siempre me la habían pedido hasta para cagar. Se me hacía incómodo escribir en la hoja sin tener en dónde apoyarla, así que le pedí a Donatella que por favor, por última vez, tuviera la caridad de cuidarme el puesto. Fui a una mesa que tenía un espacio vacío y terminé de llenar la planilla. Estoy seguro de que me tomó más de una hora finalizar el interrogatorio. Ella me saludó un par de veces desde la fila; parecía alegrarse cada vez que avanzaba de puesto. Yo le hacía señas para que entendiera que pronto iba a terminar. La última sección fue la que más detesté. Me sentía en uno de esos retiros espirituales que tuve que hacer obligatoriamente en el colegio. Algunas partes las dejé en blanco; era inútil tratar de responder ciertas cosas en solo una línea.

Cuando regresé a la fila, le devolví el bolígrafo a Dona. Intercambiamos un comentario sobre lo exagerados que habían sido al pedirnos tantos datos personales y luego permanecimos en silencio. Estuve tentado a buscarle conversación varias veces, pero no supe permitírmelo: era demasiado guapa. Lo que hice fue limitarme a estudiar sus pies: eran pequeños en comparación con su estatura, y sus uñas tenían unas manchitas blancas. Noté un par de veces que ella se sentía incómoda con mi respiración, entonces trataba de mantener un espacio entre nuestros cuerpos; varias personas aprovecharon ese canal para colearse en la otra fila.

Hicieron pasar a Donatella y yo tuve que permanecer detrás de una raya amarilla dibujada en el suelo. Cuando finalizó su turno, me lanzó una mirada de preocupación y se fue por un pasillo que estaba a un lado de los túneles. La señora uniformada de la tercera mesa pidió que pasara adelante; llevaba un copete en la cabeza con una pluma rosada. Le di mi documento, lo firmó en la esquina inferior izquierda e hizo una marca con un sello de tinta. Parecía una A encerrada en un círculo.

—Por favor, firme en la esquina inferior derecha — me pasó un bolígrafo e hice un rayón que vagamente representaba mi nombre. La señora agarró el documento, abrió el archivo de su escritorio y sacó una carpeta titulada "Edgar Enrique Crane". En ese momento sentí vértigo. Me acerqué más para ver qué coño había dentro de la carpeta—. Señor Crane, usted murió a los 16 días del mes de diciembre de 2012 a las 4:09 p.m. —permanecí inmóvil, sintiendo un fuerte dolor en la frente. Ella sacó otra hoja de la carpeta—. Discúlpeme, ha habido una confusión, usted no ha muerto todavía, parece que la señora... ¿Marina? —preguntó aborrecida. Era como escuchar hablar a un mero. Seguí quieto, tratando de razonar lo que estaba diciendo—. La señora Marina lo encontró en su cocina casi muerto, llamó a la ambulancia y usted se encuentra en estado de coma en el Hospital José Gregorio Hernández y Santos, Caracas, Venezuela. Debe bajar con esta planilla al Depósito Letal, por los ascensores al final del pasillo; ahí le indicarán las instrucciones para su estadía en Andor.

Miré el cigarro de la mujer, con ganas de quitárselo de la boca y fumármelo. Metí las manos en los bolsillos del mono, para reprimir el impulso y me concentré en su copete rosado. Su cara me recordaba a las tortas que venden en panaderías aún estando viejas y llenas de crema reutilizada. Detallé en un instante su papada, las arrugas alrededor de sus ojos, su nariz sudada, la pintura fucsia de labios en los dientes delanteros, el anillo de plástico en el dedo gordo. Le pidió al niño que seguía en la fila que pasara adelante. Decidí hacer lo que dijo sin pensar mucho; ya tendría tiempo para entender.

Caminé por un pasillo estrecho que terminaba en unos ascensores. En las paredes había retratos de todos los empleados; la del copete rosa era la empleada del mes. Bien por ella. Entre dos ascensores había un hombre con ojos muy pequeños y cabello naranja. Había una placa en la pared con unas letras de molde que decían **Andor es para usted**. El tipo abrió la boca e hizo sonar una trompeta. Después de tocar una melodía muy corta y atorrante, me dio la bienvenida: "Muy buenas tardes, gracias por contar con nosotros, porque *Andor es para usted*". No sabía qué responderle porque, para empezar, yo no estaba contando con ellos. Él sonrió y se puso a pulir la trompeta con su chaqueta. Me provocó golpearlo en la cara, pero me limité a presionar el botón que llamaba al ascensor. Él volvió a hablar: "¿Qué puedo hacer por usted?". Le respondí fastidiado de tener que mover la lengua que debía bajar al Depósito Letal. Firmé en una lista con el pulgar derecho mojado en tinta y me monté en el ascensor de la izquierda.

Era increíblemente pequeño, como para que bajara una persona a la vez; no había ni botones, ni espejo, ni ventilador, solo un deprimente bombillo encendido. Cuando se abrieron las puertas había un hombre enfrente de mí, viendo hacia el fondo del pasillo. Al salir del ascensor entendí qué hacía ahí: era el último de una fila corta. Le pedí que se arrimara hacia adelante pero no entendió lo que le dije, se lo repetí en inglés y pareció ofenderse, por lo que se rodó para alejarse. Dos puestos más allá estaba Dona viendo hacia abajo. Estiré mi mano y toqué su hombro pequeño y caliente; cuando se volteó pareció aliviada por mi presencia.

—¿Qué te pasó a ti? —susurró.

—Aparentemente estoy en coma —sentí un

16

escalofrío. Las dos personas paradas entre nosotros comenzaron a suspirar y a voltear los ojos de un lado a otro, dando indicios de que estaban incómodos con nuestra conversación. Dona hizo con la boca una señal de estar cansada y se volteó a leer su papel. Tenía ganas de seguir hablando con ella, pero me quedé tranquilo en mi puesto. El Depósito Letal era una habitación pequeña y fría, el piso era de mármol negro y las paredes eran blancas con estampillas enmarcadas de todos los países. Atrás del escritorio donde debía entregar la hoja, había una pared transparente que dejaba ver estantes de metal, uno detrás de otro, con carpetas ordenadas por año; me pregunté desde cuándo estarían esas personas trabajando ahí.

Dona entregó la planilla y abandonó el lugar con una carpeta rosada. Me despedí agitando la mano, pero ella no respondió; quise creer que no se dio cuenta. Saqué mi planilla del bolsillo y se la entregué a la señorita. Era muy delgada y con el cabello corto, tenía un carnet de identificación: su nombre era Martha. En ese momento me pareció que yo olía mal, que mi pijama tenía un aroma concentrado de cigarro y sudor. Me alejé un poco de su escritorio y esperé que ella hiciera su trabajo sin mi tufo encima. Me entregó la gloriosa carpeta que decía *Andor* en letras negras y abajo mi nombre completo, junto con un papelito que decía "No leer el contenido antes de subir".

Me monté en el ascensor y abrí la carpeta.

Estimado Sr. Edgar Enrique Crane, Bienvenido a Andor.

Por medio de la presente se le notifica que su cuerpo reside en el Hospital José Gregorio Hernández y Santos, Caracas, Venezuela.

Debido a que usted se encuentra en estado de coma por razones ajenas a su voluntad, se le concederán diez (10) días de residencia en

17

Andor. Al terminar este tiempo usted deberá escoger una de las siguientes opciones:

a. Si su decisión es volver a la vida, debe dirigirse a planta baja, tomar una planilla naranja y hacer la fila de la mesa número uno.

b. Si su decisión es morir, debe tomar una planilla gris y hacer la fila de la mesa número dos.

c. Si muere antes de poder decidir, debe tomar una planilla azul y hacer la fila de la mesa número dos.

d. Si su decisión es residir permanentemente en Andor, debe dirigirse a la Notaría y registrar su nuevo número de habitación, la razón de su decisión y sus datos personales.

Gracias por contar con nosotros, porque Andor es para usted.

Atentamente,

Claudia Ajena

Sentí como si una soga estuviera rodeando mi cuello y que, tan pronto como respirara, iba a morir asfixiado. El ascensor parecía estar detenido en medio de la nada; no había botones para sonar una alarma o para abrir las puertas. Era como si realmente hubiera dejado de existir. Rápidamente saqué las otras páginas de la carpeta, hasta encontrar una titulada "Instrucciones".

Estimado Sr. Edgar Enrique Crane,

Gracias por contar con nosotros, porque Andor es para usted.

Durante su estadía en Andor debe estar consciente de las normas que regulan el orden social.

A continuación está una breve lista de deberes y derechos que hemos creado para usted:

Usted no puede aferrarse a nada (objeto, animal, persona) si su decisión será morir o volver a la vida.

Usted debe tratar al otro como quiere que lo traten a usted.

Todo lo que no está especificado en este documento, depende totalmente de su voluntad. Si usted viola alguna de estas reglas será enviado automáticamente a la sección de residencia permanente de Andor.

Atentamente,

Claudia Ajena

Al terminar de leer, las páginas cayeron de mi mano. Todo se nubló hasta quedar suspendido en la oscuridad. Lo último que sentí fue un golpe en la cabeza. En medio de un agujero negro y acelerado, vi cómo mi tía entró de pronto en su cocina, trancó la llave de gas y comenzó a llorar desesperada mientras intentaba hacerme reaccionar con respiración boca a boca. Buscó su celular y llamó a una ambulancia. Abrió todas las ventanas y las puertas, tiró los paños húmedos en el lavadero, agarró el ventilador de la sala y lo puso en máxima velocidad sobre mi cara. Volvió a intentar despertarme, sin parar de llorar, pero no logró nada. No había pasado media hora cuando me acostaron en una camilla y me llevaron al Hospital José Gregorio Hernández y Santos.

II

Sentí la lengua seca, como si hubiera una piedra metida bajo mi paladar. Una mujer sostuvo mi cuello con su mano y me ayudó a sentarme. Tenía una bata blanca de médico y un aparato en la cabeza con un par de lupas circulares.

—Edgar, ¿leíste las instrucciones de la carpeta antes de llegar al segundo piso? —pasó una linternita por mis ojos. No entendí de qué hablaba. Sentía el cuerpo como si hubiera despertado de una borrachera—. La carpeta de instrucciones, ¿la leíste antes de llegar al segundo piso? —repitió y me entregó un vaso de agua. Entonces entendí lo que estaba preguntando y recordé que la había abierto en el ascensor.

—¿Abrirlo en el ascensor cuenta cómo qué?

—Cuenta como que no esperaste al segundo piso —suspiró impaciente—. Si hubieras esperado al segundo piso, como lo indica tu carpeta, todo lo que había pasado antes de tu llegada a Andor iba a ser parte de un recuerdo ya superado por ti, e ibas a poder continuar con tu vida o

20

tu muerte de forma natural.

Sentía que lo que había vivido las últimas horas estaba desgarrándome el cerebro. La doctora me explicó que mi caso era particular, que aunque hubiera logrado suicidarme, no habría muerto con la planilla gris, sino con la azul de muerte natural, porque mi último estado fue la duda. Que si yo hubiera podido pararme y continuar con mi vida, lo hubiera hecho, pero ya estaba tan intoxicado que mi voluntad era nula. Se expresaba como si estuviera hablando del motor de un avión o del pelaje de un gato. Era más extraño que escuchar a un doctor hablar sobre gonorrea con el mismo tono que utilizaría al comentar sobre el clima.

Tuve que comer un cambur y tomar una pastilla, supuestamente para el dolor de cabeza, antes de levantarme. Ella ayudó a ponerme la pijama y los zapatos, diciendo que todo estaría bien, que descansara y que me deseaba suerte para tomar la mejor decisión. Luego me dio instrucciones para llegar a los túneles de la planta baja. No sonaba difícil. Salí del cuarto con mi carpeta en la mano hacia un pasillo beige lleno de puertas. En cada una había una ventanita por donde se veían pacientes sentados en camillas. Me pregunté si todos habrían sufrido el mismo ataque de pánico que yo tuve. Debieron haber hecho más énfasis en la cuestión de "no abrir la carpeta hasta llegar al segundo piso", si no querían que nos jodiéramos de esa forma.

Subí hasta la planta baja, ahogado entre tres camillas llenas de vómito, y salí por donde estaban los baños públicos. Había olvidado que estaba en el mismo sitio caótico de las últimas horas. Esperé a que pasara el tipo que estaba enfrente de mí y luego firmé la lista. Al pararme sobre los pies dibujados en el suelo, se abrió automáticamente la pequeña puerta del túnel.

Había mucha luz; de hecho, no lograba ver nada. Era como si hubiera estado durmiendo toda la noche y de pronto me hubiese despertado una rodaja de sol en la cara. Me detuve por miedo a tropezar con algo. Cuando por fin pude abrir los ojos, contemplé nubes fosforescentes flotando. Observé una de las manchas: se fue desplazando a medida que movía la mirada. Lentamente fue apareciendo un metro frente a mí, como si las cosas tardaran en desnudarse cuando uno está entre la vida y la muerte. Esta vez me encontraba en una estación subterránea. Entré en el vagón y se cerraron las puertas. Tomé asiento y comenzó a sonar música ambiental. Parecía ser el único ahí adentro. Sospechoso. Cuando llegué a la siguiente estación, apareció un tipo vestido de marinero dándome la bienvenida. Me pidió que lo siguiera por unos pasillos que desembocaron en escaleras mecánicas. Después de más o menos cinco minutos, seguíamos subiendo. Menos mal que no me estaba meando. El hombre me sonreía y se volteaba de nuevo. Su uniforme parecía hecho de tela barata. Los pantalones azules y blancos le quedaban brincapozos. Se veía absolutamente ridículo. Eventualmente las escaleras mecánicas se convirtieron en un piso rodante. Me sentí como un personaje de los Supersónicos. El marinero me aseguró que en menos de un minuto llegaríamos. Finalmente pisamos tierra firme y subimos en un ascensor hasta llegar a un salón amplio. Había poltronas de cuero y pequeñas mesas circulares. En cada esquina se encontraba una lámpara alta de cristal. Una que otra persona conversando, todas vestidas muy formales, y una barra al fondo, con parejas tomando *shots* de un líquido rosado: apenas lo vi, supe que jamás lo probaría.

Caminé hacia la recepción del lugar y me atendió otro hombre uniformado como marinero, quien también me dio la bienvenida, y me entregó una llave para la habitación 16 del piso 4 en la torre D. Enseguida se acercó otro hombre con la misma vestimenta y me ofreció ayuda para llevar mi maleta. Me sentí aturdido por tanta atención. Además, me parecía absurdo que me pidiera un equipaje que no tenía. Le di la carpeta y me aseguró que estaría en la habitación para cuando yo subiera. Firmé un libro de registro, sorpresivamente llamado *Andor*, y luego me dirigí a los ascensores. Mientras esperaba eché un vistazo queriendo encontrar a Donatella entre alguna de esas cabezas incógnitas. Marqué el cuarto piso y vi mi aspecto en el espejo: parecía un cuarto abandonado, un depósito de mierda. De todas maneras, pensé, tampoco podría verme mucho mejor. Nunca lo había logrado, ni siquiera cuando me afeitaba la barba.

El suelo del pasillo estaba cubierto por una alfombra vinotinto de diseño persa; tenía bordados florales y parecía anudada a mano. Las paredes color crema eran igual de limpias que las del ascensor y las del hall. Se esforzaban por que uno se diera cuenta del gran trabajo que hacían por mantener pulcros todos los espacios del hotel. Cada puerta tenía su número en letras doradas y pulidas... 11, 12, 13... iba contando hasta que por fin llegué a la 16. Al entrar encontré mi carpeta sobre una mesa de vidrio, junto a un ramo de girasoles y un sobre sin dirección ni estampilla.

La habitación tenía una cocina para liliputienses; hasta a mí, que no mido más de 1.73, me tomaba llegar de un lado a otro únicamente unos tres pasos y medio pie. Había una sala con una silla de cuero negro reclinable y una biblioteca con más o menos cien libros. Lámpara para leer, sofá, televisor pantalla plana y videoteca. Recordé que la última película que vi fue *El bueno, el malo y el feo*. Con la pinta que tenía ese día, podía hacerme pasar por Tuco perfectamente. También había un cuarto, un minibar, y un baño enorme. Nunca me había quedado en un hotel, pero podía asumir que aquello se trataba de puro lujo; lo cual me desorientaba más todavía. La ventana daba al mar. Abrí el vidrio, marcando territorio con mis huellas digitales. Una onda de viento salado entró por mis fosas nasales, dejándome una sensación de agotamiento.

Abrí el sobre: era una invitación para una fiesta de recepción. Lo que menos necesitaba era ver gente. La boté en la papelera del baño. Cerré los ojos y traté de recordar qué había hecho el día anterior. Intento fallido, pruebe de nuevo más tarde. Me provocó tomarme un trago, pero me conformé con un expreso. Los gabinetes de la cocina estaban llenos de vasijas, platos, vasos, cubiertos, etc. Agarré una taza blanca con unas letricas negras: *Andor es para usted*. La guardé al ver lo que decía y agarré otra negra con una A blanca. No me molestó tanto, podía ser una A de Andrea, de Androide, de Analfabeta. Me hice el café en una máquina italiana que, por suerte, era exactamente igual a la que tenía mi tía Marina, y lo bebí contemplando la vista de la playa. Estaba solitaria, sin los millones de cuerpos buscando hacerse fósiles antes de tiempo. Calculé que la temperatura era de unos 29 grados, muy parecida a la de Caracas en sus días soleados. Había unas gaviotas posadas en el muelle. Nunca fui una de esas personas que pensaban constantemente en volar. Dejé la taza en el lavaplatos y abrí la nevera para ver si me provocaba comer algo. Estaba increíblemente abastecida. Había desde legumbres, frutas, yogures y jugos, hasta carne, pollo y pescado. Era tanta comida que me daba fastidio sacar algo para preparar, así que decidí aprovechar el tiempo para bañarme.

Había una tina cuadrada, hecha de pequeños mosaicos de color turquesa, que parecía un jacuzzi artesanal. Si algo necesitaba era quitarme el olor a tufo y cambiarme de ropa. Es increíble cómo quitarte la mugre de encima siempre te hace creer que ahora tienes menos basura en la cabeza. Mientras se llenaba de agua, aproveché y decidí afeitarme las islas de pelos que tenía sobre la quijada. Había un Post-it magenta pegado al armario sobre el lavamanos.

Estimado Sr. Edgar Enrique Crane,

La afeitadora y la crema de afeitar las podrá encontrar en la tercera gaveta del almacén. Gracias por contar con nosotros, porque Andor es para usted.

Atentamente,

Claudia Ajena

Me asusté cuando vi el papelito, fue como si hubiese leído mi mente. O como si hubiera sabido qué iba a pensar en ese instante. Lo dejé pegado sobre la superficie de madera y abrí la gaveta que me señalaba. La afeitadora la saqué de una bolsa plástica y la crema de afeitar venía en un sobre plateado. Fui quitando con exactitud de arriba hacia abajo la espuma, dejándome un borde de barba de oreja a oreja. Un acto inútil, porque al final seguía viéndome como un moribundo. Aunque supongo que mi aspecto encajaba con la ocasión. Luego me arrastré hasta la bañera, para abandonarme en el agua. Por algún motivo estaba bastante nervioso. Sentí que se me abrió el abdomen y que mi estómago subió a la superficie del agua para quedar flotando, como si fuera un trozo de carne descongelándose en el lavaplatos.

III

Ahí está ella, sin saberse vista. Camina como si practicara sus pasos cada día, pie por pie, sobre una línea. Sus piernas se ven largas, altas, apoyadas en unos tacones, altos también, y con un vestido mínimo, cubriéndole lo suficiente, nunca demasiado, nunca poco. Sus ojos son azules cuando me mira fijamente, y verdes en la oscuridad, como los de un gato encandilado. Me cuesta salirme de su mirada vasta y húmeda. Con solo verla, me vuelvo más humano, más miserable y necesitado. Siento desconsuelo al pensar que no es mía, que no le pertenezco y que no somos una mutua condena. Está caminando hacia mí, se dio cuenta de que estamos en el mismo salón, pero no nos vemos de la misma forma. Nunca sabré cuántos labios han mordido los suyos y ella a cuántos ha desgarrado porque quiso. Me saluda con una sonrisa limitada y yo le respondo con una mueca que vagamente se deja tocar por su incertidumbre. Agarra mis manos, alejándome de todas las parejas que toman su trago rosado en la misma barra, y me lleva a la pista de baile. Nos desplazamos como si no tuviéramos ropa ni zapatos, desnudos en la intimidad de nuestros cuerpos, encontrados en la torpe distancia que yo no sé guardar para comenzar a bailar. Mis pasos se pierden en ella y los suyos en la música que nos acalora y nos bate de un lado a otro. Agita sus brazos cerca y lejos de mí. Doy vueltas sin seguir ocultando que no sé lo que hago, que no sé bailar, que mis huesos no coordinan lo que quiero hacer y que mis movimientos surgen como una corriente involuntaria. Sus labios dejan escapar molinos de viento sobre mi cara, aislando los rectángulos de pelo que se frotan contra el sudor de mi frente. No sé qué estoy haciendo, solo sé que ella se abanica sobre mi cuerpo, danzando y meneando sus caderas como una licuadora. La punta de mi lengua lleva rato tocando un intruso en mi boca. Pienso que es un trozo de comida vieja, pero me doy cuenta de que es un diente entre otros dos dientes, un diente que nunca había sentido. Ella sigue bailando en medio del salón y todas las parejas nos miran supurando envidia de la buena y blanca. Me alejo de su cuerpo y, detenido en medio de la pista, saco el diente que está enterrado. Una vinagreta metálica se escurre, revolcándose por mi barbilla. Mi película enmudece, no hay ruido, yo parezco ser el único capaz de sentir dolor. La sangre se hace agua, las personas se hacen agua y mi cuerpo se hace cuerpo en el agua.

Cuando abrí los ojos seguía metido en la bañera de mosaicos turquesa, embebido como un trapo viejo, absorbiendo el líquido ya frío e intoxicado por mis fluidos. Todo era más coherente: no tenía una mujer encima. Cuántas personas habrán refrescado su cuerpo en ese mismo lugar. Los microbios deben caminar felices de un lugar a otro hasta meterse en los huecos de uno. Estaba cansado. Me puse una ropa que encontré en el clóset envuelta en una bolsa plástica, talla M. Busqué en el minibar una botella de ron y un lugar para sentarme.

El mar seguía explotando en mi ventana, plateado, más oscuro que hacía unas horas, reposando en la noche, una noche que parecía larga, sin la posible reaparición del

27

día. No quería encender el televisor, tampoco quería leer. Estaba exánime, no podía mover un hueso; sin embargo, esperaba que algo me hiciera pararme de ese asiento. Me dediqué a vaciar la botella de ron en mí, hacerla vacía para hacerme lleno. Veía a través de un vidrio que lentamente se iba llenando de lluvia. Después de tomar media botella, me ardía la punta de la lengua y tenía ese dolor agudo que a veces me daba en el colon cuando comía muchos perros calientes; especialmente si eran los del carrito de Eusebio.

Una especie de venado apareció en el baño, sacando la lengua pequeña y ovalada, mientras observaba cómo me lavaba la cara. Me perturbó que no se fuera a hacer otra cosa y le eché agua en el hocico. El pobre animal abrió la puerta de la habitación y se fue chillando como si lo hubieran castrado. Me sentí tan culpable que salí corriendo tras la víctima para disculparme. Había carteles con flechas fosforescentes desde mi habitación hasta el ascensor, que luego continuaban hacia un jardín en la planta baja. El venado se levantó en dos patas y me pidió que le ofreciera un trago para remediar nuestra relación. Un hombre vestido de marinero nos abrió la puerta, haciéndonos pasar al evento. El jardín estaba ardiendo bajo la noche, acontecido por velitas transparentes; solo se veían las llamas sacudiéndose en la oscuridad. El venado escapó de mí y se disipó en la nada. Fui acercándome en silencio a la multitud de gente, viéndolos beber y beber, hablar muy alto, reír, seducir, danzar, pegar sus cuerpos unos a los otros, reservar horas para más tarde, comer y comer, caminar en la bulla, en la atmósfera de ruido y tentaciones que solo una fiesta puede traer. Veía a los fumadores con envidia; ya averiguaría en dónde conseguir una caja de cigarros. El alemán con pinta de spaghetti estaba parado junto a la entrada de un laberinto hecho de boj, tan alto, que aún al europeo le faltaban unas cabezas para llegar al tope.

—¿Cómo acabaste en este lugar? Pensé que tú ibas a otro túnel.

—Sí... Parece que no quiero morir. Estoy en cuidados intensivos en clínica de Colonia —tenía un mal inglés. Me puso la manota en el hombro, haciéndome tambalear, y sonrió antes de tomar su cerveza—. Me llamo Kai, ¿tienes nombre, amigo? —sacudió el vaso helado sobre mi camisa.

—Sí, Edgar.

Coñac, cerveza, ginebra, ron, vermú, whisky, tequila, brandy, y otras botellas que no lograba identificar, estaban colocados al borde de una mesa redonda que giraba lentamente sobre una fuente de agua iluminada por antorchas. Kai se sirvió más cerveza en su vaso y me sirvió una a mí. Nos acercamos a unas bandejas de cochino rostizado que flotaban en otra fuente de agua. Él siguió de largo hacia la mesa donde estaban las botellas de vino y, dejando el vaso con sobras de espuma de cerveza a un lado, se sirvió una copa de Château no sé qué. Yo sí me serví mi buena porción de puerco y la bañé con una salsa de ciruelas muy espesa y oscura. Kai ya estaba danzando con una chica morena de labios oscuros, delgada y con grandes tetas. Tenía la mirada perdida y se dejaba llevar por el alemán riendo en su cuello. El tipo no cerraba la boca y babeaba una saliva rosada, intoxicada por el vino que bullía de su estómago. Como ellos, había varias parejas levantando sus pies y dando vueltas con las manos entrelazadas. Yo me conformaba con mover los talones, mientras devoraba mi puerco sentado en un muro de piedra. Me gustaba ver cómo todos se divertían, aullando y riendo como si no hubiera un mañana. Correteaban como niños de un lado a otro y a nadie parecía importarle el hecho de que se acababan de conocer. Supongo que la cercanía a la muerte le quita importancia a ciertos detalles.

Una chica de ojos color aguacate y cabello crespo se acercó y me entregó una copa de vino tinto. Se sentó a mi lado y se dedicó a observarme mientras yo cenaba. No sabía si era muda o qué, pero no hablaba, solo sonreía. Yo la miraba y le hacía gestos de agradecimiento, como para que entendiera que no tenía que quedarse a mi lado. Se volteó y comenzó a aplaudir al ritmo del aplauso central que retumbaba con la música y los zapatazos. En ese momento me provocó un cigarro. Dejé el plato a un lado y ella me llevó a la rueda de bailarines. Le dije con palabras mal pronunciadas que no sabía bailar, que prefería verla desde mi puesto, sentado y bebiendo; pero ella insistió y arqueó sus brazos tras mi cuello. No tuve más opción que agarrarla por la cintura y brincar con los demás.

Parecía que al cielo le hubieran clavado un puñal y que poco a poco se hubiera desbordado el universo hacia nosotros. Todas las pieles estaban brillantes, pintadas por el sudor y el reflejo del fuego. Corrí con Esmeralda, así se llamaba la chica, a la mesa de vinos. Nos acabamos una botella de vino, creo que español, y volvimos a la pista. Todas las luces brincaban conmigo y yo con ellas. Las mujeres se lanzaban sobre mis brazos y yo les daba vueltas, haciéndolas girar sobre sus propios ejes. Sin darme cuenta, relajaba la boca y caía hacia abajo en forma de sonrisa tonta.

Conocí a un australiano, Steve, con ojos de mapache, y a unos gemelos franceses, Lucas y Claude, que tenían unos bigotes muy zappianos. Entre los cuatro nos bebimos los restos de licor que dormían por doquier. Claude comenzó a cantar, narrando lo que iba viendo a medida que rodábamos. Cada uno agregaba otra frase, y nos sentíamos tan orgullosos como si fuéramos unos beatles de segunda. Un hombre bajito apagó las velas que decoraban el jardín y las estrellas comenzaron a resaltar más, igual que las sombras de las personas arrastrándose y revolcándose en la grama. Había parejas juntándose en las esquinas, y bajo las mesas de postres y licores digestivos. Un grupo de asiáticas reían sin ropa exponiendo sus delgadas figuras, danzando con unas sombrillas en la fuente y salpicándole agua a un grupo de gringos que les pitaban y cantaban intentos de serenatas.

Uno de ellos entró en el agua y cargó a la más eufórica, llevándola en sus brazos. ¡Peter, Peter, Peter!, gritaban y le aplaudían como a un héroe. La gente se iba al laberinto y no regresaba. Les dije que averiguáramos qué estaba pasando. Ya mi acento era inentendible y vomitivo. Decidimos entrar tomados de brazos, como si estuviéramos bailando polca, y unimos a Kai a nuestra cadena humana. Lucas y Claude se besaban las cabezas y lloraban balbuceando algo de un carro destrozado. Yo no podía dejar de reír y le daba manotazos a Kai para que me viera y se riera de mí. Steve nos miraba y se lanzaba contra las paredes de boj para hacernos ver que tenía poderes especiales para rebotar. Yo seguí gateando, sintiendo mis extremidades pesadas, sin poder subir la mirada porque inmediatamente se lanzaba contra la oscuridad de los próximos metros.

Eventualmente pude levantarme y comencé a caminar muy despacio, tambaleándome y repitiéndome lo divertido que era todo; tal y como si me hubiera fumado siete porros seguidos. A veces restregaba la lengua por las paredes verdes, saboreando lo ácido de las ramas, pero luego seguía caminando, perdiéndome en ese lugar, tratando de averiguar quiénes estaban ahí y qué estaban haciendo que no regresaban. Pasaban multitudes corriendo a mi lado, lanzando hojas al viento y contra mi cuerpo. No sabía en dónde estaban mis nuevos panas, pero yo seguí andando, a veces recordando que me sentía mal, intentando mantener mi cabeza recta, sin dejar que el imán de mi ego hiciera de las suyas.

La música celta se escuchaba igual de alto que en el jardín, pero ya no podía distinguir de dónde salía; incluso llegué a pensar que sonaba únicamente en mi cabeza. Me dirigí a una esquina donde estaba una chica acostada. A su lado había una fuente de piedra, de la que brotaba un chorrito de agua que saltaba a su vestido. Me acerqué como si la conociera y me acosté a su lado.

—¿Qué estás viendo? —le pregunté, tocándole los ojos. Ella comenzó a cantar y a mover las manos. Mis dedos resbalaron por su nariz y cayeron sobre sus labios que se abrían y cerraban al tararear.

—Intento ver hacia abajo —no quitó mis dedos de su boca.

—Pero si estamos boca arriba. Deberías voltearte si quieres ver hacia abajo.

—Es que quiero ver cómo los que viven en las estrellas nos miran a nosotros.

Me dediqué a dibujarle el tarareo en su brazo, mientras ella cerraba los ojos como un gato al que le hacen cariño, y de vez en cuando los abría de nuevo para asegurarse de que nadie la estaba viendo desde el cielo. Había una botella a sus pies, que entre los talones levantó y luego atrapó para pasármela. Por leves instantes sentí que era hora de irme a mi habitación, pero terminé goteando el alcohol sobre los labios de ella y luego tomé varios tragos largos, hasta que la botella quedó tan vacía como mi cabeza.

Las miradas que posé sobre la chica habían sido

como las de una simple mosca encima de un plato de ensalada. Había visto partes de su cara y de sus piernas y brazos, como las piezas de un rompecabezas incompleto, pero aún no sabía quién era. Me acerqué más a su cuerpo y me aferré a su brazo hasta cerrar los ojos. Fue como si mi cerebro se hubiera revolcado como un perro, dejando boca arriba aquella parte en donde no existe la vergüenza. Estábamos hundidos en la intimidad de dos desconocidos. En ese afecto puro que nace de la extrañeza. Ella no parecía incómoda. Por el contrario, se dejó abrazar y me besó muy cerca de la boca. Yo me rendí y una fiesta se prendió en mi abdomen. Le besé la barbilla y ella me besó más cerca de los labios, y luego yo más cerca, y luego ella más cerca, y nuestras piernas se enroscaron y no quedó más remedio que besarnos como si nos succionáramos mutuamente la tráquea.

IV

Me desperté de golpe y quedé echado en la grama tratando de entender lo que estaba pasando. Tenía la ropa completamente empapada. Sentía náuseas. Todavía era de noche, pero ya habían apagado la música. La cabeza me punzaba y daba vueltas salvajemente. Recordé que había besado a una chica en ese lugar, pero ahora me encontraba solo y mojado. Claro. Tenía un aliento ácido. Me senté y miré a los lados para ver si había alguien por ahí. Nadie. Comencé a caminar hacia la salida del laberinto para irme a mi cama y descubrí que no tenía ni medias ni zapatos. La grama estaba mojada y con la ropa húmeda sentí que iba a enfermarme. Necesitaba un cigarro. No entendía a dónde se habían ido todos. Seguro estaban felices en sus camas, durmiendo cómodamente en un colchón y con sábanas secas y calientes. Quería teletransportarme a mi cuarto. Había murciélagos volando por aquí y por allá. Sequé el agua de mi cara con la manga de la camisa, pero no sirvió de mucho, y comencé a caminar rápidamente, tratando de no pensar en las ramas que se me estaban clavando en las plantas de los pies y en la tierra que se estaba metiendo en mis uñas. Uno de los murciélagos me rozó la cabeza con sus alas. Estaba que mataba a alguien y no encontraba la puta salida.

—¿Qué crees que estás haciendo?, ¡escóndete! —alguien haló mi brazo y luego me encarceló contra un arbusto—. ¿Qué estás haciendo? —repitió eufórica. Ahí me encontraba, con la mano de Esmeralda tapándome la boca. Un tipo gordo pasó con los ojos vendados, contando números aleatorios como quien no quiere la cosa. Quité su mano de mi cara y quedé en silencio pensando en una excusa para evadirla—. ¡Ahora! ¡Corre! —Esmeralda agarró mi mano y me arrastró por varios pasillos del laberinto hasta que llegamos a una escultura de piedra—. ¡Edgar y yo estamos a salvo! —gritó al tocar la estatua.

Ella estaba fascinada y no paraba de reírse. Yo estaba de tan mal humor que ni tuve la decencia de aparentar estar disfrutando. Quedé paralizado con cara de culo en una esquina, viendo cómo iban llegando grupos borrachos para tocar la figura, decir que estaban a salvo y luego echarse en la grama a seguir riendo desquiciadamente. Sentí escalofríos al observar que algunas partes de sus cuerpos aumentaban y disminuían de tamaño. Se les estiraban los brazos y luego volvían a su medida original. Las cabezas, los cuellos, los ojos, como si fueran muñecos de aire. La boca de Esmeralda se volvía más y más grande a medida que su risa se iba haciendo más aguda. Se le inflaban los labios y se le distorsionaba la mirada. Me alejé poco a poco para irme disimuladamente de ahí. Ella se dio cuenta y me agarró por la camisa.

—¡No seas aburrido!

—Sí, es que así soy yo. Aburrido —metí mis manos en los bolsillos.

—Ay, qué cómico eres —dijo, antes de volver a

35

hundirse en una carcajada.

—Hablamos después, tengo que irme. Me fui por otro pasillo y eché a correr.

Era totalmente siniestro verlos comportarse como niños después de que estuvieron tan cerca de la muerte. Parecía una pantomima grotesca de la vida, como si detrás de los infantilismos se pudiera estar más cerca de los comienzos que de los finales. No importaba cuánto me alejara de ellos, seguía escuchando sus risotadas explotando en mi oído. De vez en cuando veía más personas escondidas y otras corriendo hacia la estatua blanca. Creo que nunca había estado tan paranoico, podía imaginar a Esmeralda corriendo con un hacha detrás de mí, con la cara de Jack Nicholson. Me detuve para respirar profundo y descansar unos segundos, y luego seguí caminando hasta finalmente salir del laberinto. Agarré un cigarro milagroso que encontré tirado en el piso y lo guardé en el bolsillo de la camisa. Cuando levanté la mirada, observé que Donatella estaba acercándose con mis zapatos en la mano.

—¡Edgar! Creo que esto te pertenece.

—Gracias, Dona —respondí con una naturalidad forzada.

—¿No deberías estar escondido? —preguntó, mientras yo me agachaba.

—No estoy jugando —la observé desde el suelo.

—Qué lástima —se quedó callada, como si estuviera buscando la manera de pedirme algo. Terminé de amarrarme un zapato y me levanté para darle mi atención.

Palpé el bolsillo de la camisa con la mano, asegurándome de que no se hubiera caído el cigarrillo—. ¿Y si juegas conmigo? —su pregunta me puso nervioso. Ella agarró mi otro zapato de la grama y comenzó a correr por el jardín. Vi mi pie desnudo y respiré tratando de invocar algo de paciencia. Era la noche sin fin—. ¡Vamos, Edgar!, ¡atrápame!

Por algún motivo no me importó tanto la idea de perseguir a Dona. Se veía completamente adorable huyendo de mí con el zapato. Eché mi cabello hacia atrás y pensé en una estrategia para no tener que correr. Ella se detuvo a unos metros cuando notó que yo seguía inmóvil.

—Dámelo, por favor, no puedo seguir descalzo.

Aparentó no haberme escuchado y siguió escapándose hacia el lado contrario del laberinto y del hotel. Yo no corrí. Caminé lentamente para ver a dónde se estaba metiendo. Fuimos dejando al resto de las personas atrás de nosotros y el jardín se fue convirtiendo en un bosque de árboles muy altos y de troncos gruesos. El suelo no parecía real, no era tierra húmeda, sino una plataforma seca de concreto. Me pareció extraño, no se trataba de un bosque natural sino de un cúmulo de árboles artificiales. Por suerte, Dona había dejado de correr, pero me llevaba unos metros de ventaja. De vez en cuando volteaba para asegurarse de que yo seguía caminando detrás de ella. La luna era redonda y rojiza, y el cielo negro, no azul oscuro, sino negro. Parecía la escenografía de una obra de teatro, porque no había ni nubes, ni estrellas, ni ondas de luz en toda esa vastedad. El bosque estaba alumbrado por unas antorchas que aparecían de vez en cuando, pero a veces pasábamos segundos sin una pizca de luz. Encendí el cigarro que había encontrado con el fuego de un faro y continué más intrigado que nunca. Me dejé llevar, sin apuros, para ver a dónde íbamos a parar después de todo ese paseo. Quería saber en qué pensaba ella, pero como no caminaba a mi lado, la dejé que siguiera sola. El cigarro estaba bueno, fuerte. Me puse a hacer círculos con el humo y, cerrando un ojo para cambiar la perspectiva de mi visión, comencé a encestarlos en la cabeza de Donatella. Uno, dos, tres, cuatro círculos le puse a Dona en su cuello, como si fueran collares. Ella se detuvo y quedó mirando la casa que teníamos enfrente.

—¿Qué hacemos aquí? —dije, botando el humo lejos de nosotros.

—La vi en el mapa, pero no había querido venir sola, así que te usé como niñera —se comenzó a reír y yo no hice sino mirarla. ¿Niñera? Traté de obviar ese comentario y pensé en el "te usé", pero eso tampoco fue muy reconfortante, así que terminé quedándome con "no había querido venir sola"—. Bueno, qué suerte que me encontraste —estrellé lo que quedaba del cigarro contra el suelo.

Habíamos llegado a una casa que parecía abandonada, cuyo estilo tenía un aire a las de Nueva Inglaterra. La torrecilla lateral se veía un poco derruida y el techo lucía deteriorado, le faltaban tejas, parecía un cráneo agujereado. La pintura blanca de las paredes y las columnas estaba agrietada. Donatella me devolvió el zapato y luego subió las escaleras del porche. A su lado había un columpio tirado, con las cadenas oxidadas.

—¿Quieres entrar? —preguntó en voz baja.

—¿Qué quieres hacer ahí adentro?

Ella subió las cejas y se acercó a una ventana. Me puse el zapato y rodeé la casa para ver el resto de su estructura. A unos metros había una cabañita y más allá se veía el comienzo de un lago. Subí al porche y me acerqué a otra ventana. Quité con el dedo índice una línea de sucio para asomarme. No estaba totalmente oscuro.

—¿Abrimos la puerta? —sugerí. Dona hizo una mueca de preocupación—. ¿Te da miedo?

—¿A ti no? —negué con la cabeza—. Bueno, ya que no te da miedo, ¿por qué no abres la puerta tú?

—Si me das un beso.

Ella pareció tan impresionada como yo. No sé cómo carajo me salieron esas palabras, pero escaparon de mi boca como si tuvieran personalidad propia. Ella se acercó a mí y yo me alejé un paso para atrás.

—¿Qué? ¿Ya no quieres? —no sé por qué, pero ella me ponía nervioso. Creo que ella notó mi cara de estítico y se volteó hacia la puerta—. No pensé que querrías volver a besarme tan pronto —dijo pasando los dedos por la manilla oxidada de la puerta.

—¿Volver a besarte? —estaba confundido.

—¿Vas a abrir la puerta o no? —preguntó fastidiada.

Quedé paralizado tratando de entender lo que estaba diciendo, pero mis estados de cansancio, incomodidad, confusión y ratón no me dejaban reaccionar. Pasé por alto el comentario y agarré el picaporte.

—Está cerrada con llave —le dije—. ¿Tocamos la puerta?

—Si quieres... —me pareció adorable su

39

comportamiento. Quería abrazarla, pero ya había creado una tensión incómoda entre los dos. Golpeé la puerta tres veces y esperamos, pero no pasó nada.

—Qué raro, hay una luz prendida.

—¿Y qué quieres que haga? —ella no respondió. Creo que soné tan pedante que cambió completamente su actitud hacia mí. Comencé a estrellarme mentalmente contra las columnas de la entrada. Qué idiota había sido. Ella realmente iba a besarme y yo me acobardé. Quería intentarlo de nuevo, pero con ese humor temía que me diera una cachetada. Entonces me dediqué a gritar a la nada que nos abrieran la puerta. Donatella parecía perturbada, así que hice silencio y me senté en las escaleras. Hubiera podido decirle que nos fuéramos al hotel, pero yo no quería irme, yo quería seguir cerca de ella mientras me lo permitiera.

—Entonces... cuéntame de ti.

—¿No odias cuando alguien te dice eso para que no haya un silencio incómodo? —dijo, molesta—. ¿Qué se supone que debo contarte? ¿Qué estudié? ¿Qué me gusta hacer? ¿En dónde vivía?

—Bueno, podrías comenzar por responder eso. Eso ya me daría una idea de quién eres.

—No quiero.

Donatella solo hacía lo que quería cuando le provocaba y yo quería ser quien la complaciera. Ella se extrañó con mi sonrisa de bobo y me lanzó una mirada antipática que me pareció más tierna aún.

—¿Cómo llegaste a estar en coma? —preguntó, al final, sentándose a mi lado.

La observé detenidamente y me di cuenta de que no estaba preparado para contestar eso.

—No me siento cómodo hablando de eso ahora.

Dona quedó esperando a que yo dijera algo más. Tenía la boca fruncida y muy roja, como si estuviera conteniendo las ganas de seguir preguntando. Me mantuve serio, negociando conmigo mismo la idea de contarle lo que me había pasado. Sabía que una vez que supiera cómo llegué a estar en coma, su percepción de mí cambiaría drásticamente. Ella comenzó a mover los pies, meciéndolos contra los escalones. Dejé que me mirara directamente a los ojos, que descubriera lo que ella quisiera. Sus pestañas enredadas frente a mí, como los hilos negros de una tela deshilachada.

—Yo casi muero en un accidente de tránsito —dijo ella.

Dona tenía derecho de volver a vivir, no había cometido ninguna estupidez como yo, ni tenía la culpa de estar en Andor desperdiciando su tiempo conmigo.

—¿Cómo pasó? ¿Ibas manejando tú?

—Sí. De hecho, no fue por otro carro que tuve el accidente —sonrió, como si no tuviera más remedio—. Fue por una vaca.

—La culpa es de la vaca —pausé —. Así se llama un libro de autoayuda. Ella se echó a reír y yo no pude creer su sentido del humor.

41

—En verdad no es tan raro. Las estadísticas dicen que el factor más común de los accidentes de tránsito en zonas rurales suelen ser por animales que se atraviesan en la vía.

—¿Vivías en una granja?

—No en una granja, pero sí en una zona rural de Irlanda.

—¡Irlandesa! Yo lo sospechaba —eso le causó gracia—. ¿Y quién es el italiano de tu familia?

—Mi abuela por parte de mamá era italiana. Ella también se llamaba Donatella.

—Donatella —dije, hechizado.

—¿Te gusta mi nombre?

—Me encanta, te dije que es muy bonito. Te lo cambio por el mío.

Volvió a reírse y me arrimó hacia ella para abrazarme. En ese momento sentí que si no la besaba, jamás volvería a tener otra oportunidad. Vi que su boca estaba muy cerca, a unos pocos centímetros de la mía, y, sin darle más pensamiento a toda la cuestión, me lancé sobre ella y terminé besándole el ojo izquierdo.

—¿Qué haces?

Quedé mirándola horrorizado, mientras se alejaba de mí. Qué situación tan incómoda.

—Creo que nos deberíamos ir —dijo, y comenzó a

caminar hacia el hotel.

La seguí sin decir nada. Estaba confundido, ¿ella no quería besarme unos minutos antes? De vez en cuando la miraba y luego volteaba rápidamente para que no se diera cuenta. Qué carajo. Era obvio que una chica como ella no estaría interesada en besar a alguien como yo. Qué triste, me sentía realmente mal. La dejé en la entrada del hotel y ni se despidió. Me devolví al laberinto a ver quiénes seguían ahí, porque nunca se puede ser suficientemente masoquista. Encontré a los franceses echados en la grama con Esmeralda y otras chicas. Todos estaban borrados del panorama, sin parar de beber. Creo que no sabían ni quiénes eran ellos mismos. Agarré una de las botellas de whisky que tenían y me tiré en la grama para sumarme a esa tribu de anónimos.

V

Sentía el corazón como un queso viejo y mordido, descomponiéndose en el fondo de un saco de porquería. Cerré los ojos para dormir de nuevo, quería roncar y no volver a despertar. Mi cuerpo estaba tirado en el suelo. Podía imaginarlo dibujado con tiza, como si hubiera sido parte de un crimen. El sabor que brincaba de viejo a dulce y de dulce para amargo, y si pasaba la lengua por el paladar era agrio, me mantuvo distraído mientras dudaba a qué casilla debía saltar. Me levanté del suelo, haciendo un gran esfuerzo por mantenerme de pie. Cualquier sonido me taladraba la cabeza. Parecía no ser el único que estaba perdido: había varias personas que formaban parte de kosiukos victorianos. ¡Edgar, nada en este mar de diosas!, gritó Kai desde una fuente. Hice como si no lo hubiera escuchado y seguí caminando. Aún no había terminado de salir el sol, así que eran las luciérnagas las que nos iluminaban. Pasé por una esquina en donde había una escultura de Eros y Psique; no pude evitar verme en él y ver a Donatella en ella. Qué cliché tan triste. Crucé más pasillos, más esquinas y redomas; unas con animales farfullando y otras con los vacíos que permanecen aún después de que algo relevante sucedió. Me detuve enfrente de un directorio: Usted está aquí; observé que el laberinto tenía forma de A y solté una risa áspera. No faltaba mucho para llegar a la salida. Quedé un rato reviviendo algunas escenas, mientras contemplaba la visión satelital de la noche en el mapa. Recordé a Dona rechazándome cuando intenté besarla, sus zapatillas de japonesa, la casa detrás del bosque. Volví a sentir náuseas, así que comencé a caminar con mayor lentitud y a respirar por la nariz.

Cerca de la salida estaba Esmeralda, clavada en la tierra como si tuviera severos problemas para movilizarse. Tenía la mirada perdida y también parecía estar totalmente empapada. Ya no se veía tan aterradora a la luz del amanecer. Le hice una señal de saludo con la mano y continué el camino. Ella retorció la cara y comenzó a seguirme hasta alcanzarme y preguntarme si quería ir a su habitación. Le respondí que estaba cansado y que necesitaba marcharme a la cama. Rápidamente dijo que me acompañaría a dormir para luego despertar juntos. Creo que ignoró que no quería estar con ella, pero dejé que caminara a mi lado y seguí buscando la salida.

Mientras pretendía limitarme a seguir el camino, desesperado por estar solo, Esmeralda sacudía mi camisa como si quitara pelusas. Le pedí que dejara mi mugre en paz y se tiró violentamente en la grama para aferrarse a mi pierna. Contempló mi desconcierto como si fuera una gata abandonada, necesitada de afecto. Me agaché para tomarle las manos y le pregunté que si tenía frío.

—No. Estoy cansada.

—¿Quieres que te cargue? Te puedo llevar sobre mi espalda hasta que encontremos la salida —dije, harto de todo.

—No quiero salir, no quiero irme —su mirada estaba

mojada y se pasaba la lengua por los labios.

—¿No quieres ir a dormir? Yo estoy muerto, siento que no he dormido en...

—No quiero dormir sola —rompió a llorar. No supe qué decir. Por momentos se calmaba y luego de verme como si quisiera decirme algo volvía a llorar. La abracé y le dije que todo estaría bien. Le acaricié la espalda y le hice cariños en su pelo ensortijado.

Una anciana pasó frente a nosotros con una canasta llena de peras. Estaba descalza y agitada como un hada en cocaína. Se acercó y se quitó los lentes. Nos entregó una pera para los dos y siguió de largo. La aparición repentina de aquella mujer hizo que Esmeralda se calmara y se levantara de la grama. Le dejé la fruta a ella y le quité las ramas que tenía en el vestido. Después de pasos incontables, desvanecidos en la conversación poco interesante, logré salir de ese lugar y me fui a mi habitación como un ciego que conoce sus caminos. Pude dormir hasta las 4:56 pm y quedé tendido como una lechuga remojada sobre la cama. Creo que no hay nada que te desubique más que intentar explicarle a otra persona cómo es que terminaste siendo lo que eres.

Salí de la cama para orinar y lavarme la cara. Al abrir la puerta del baño, descubrí que había un Post-it amarillo en el espejo.

Estimado Sr. Edgar Enrique Crane,

Se le recomienda salir a pasear por los terrenos del hotel. Gracias por contar con nosotros, porque Andor es para usted.

Atentamente,

Claudia Ajena

Despegué el Post-it del vidrio y lo lancé en la papelera. La sensación que me causaban esos papelitos oportunos era muy extraña. Nunca le había visto la cara a esa mujer, ni sabía en qué momento entraba en mi habitación. Al final, igual que siempre, decidí seguir su recomendación. Necesitaba pensar, aislarme de las acciones y concentrarme en mí por unos minutos. Me vestí y bajé al restaurante del hotel; solo comí un sandwich de pollo. Al terminar me serví café en una taza de plástico y comencé a caminar hacia la dirección que mis pies decidieran. Era absurdo que aún sintiera hambre en aquel lugar; no parecía lógico. De vez en cuando pasaba una ardilla saltando entre las ramas de los árboles. Encontré un cartel señalando que a la izquierda había una librería. Seguí por esa dirección hasta llegar a "Tienda de Libros Andor". Muy originales. Era una casita blanca de tres pisos, rodeada de materos con flores. No tenía vitrinas, solo una puerta de madera con un cartel colgando: Estamos abiertos.

Adentro había un hombre de barba larga y negra, que movía los libros de lugar. Me saludó juntando las manos y reclinando la cabeza, y luego se volvió para agarrar una paca de libros gruesos y de tapa dura. Subí por una escalera de caracol —los escalones medían la mitad de mi pie—, y desde el último piso me asomé hacía abajo: un espiral negro dibujado en el suelo.

La librería estaba bastante limpia; había mesas y estantes con libros que parecían usados. En el segundo piso había una cafetería. Le pedí a la señorita una taza de café picante y me senté en una de las mesas que estaban junto a una ventana empañada. La vista daba hacia una

47

montaña cubierta por una sábana de hojas amarillas. Me sentía tranquilo. Las librerías tienen algo que me hace sentir ubicado, aunque no me dedique a leer más que las carátulas de los libros. Es simplemente la sensación de permanecer anónimo entre tantos nombres.

Al terminar el café, encontré un libro original de 1865 de *Alicia en el país de las maravillas* sobre un bastidor en el primer piso. Me pareció fascinante que tuvieran tal cosa en Andor. Lo agarré y me senté en una mesita para hojearlo. Las ilustraciones eran de John Tenniel. Me emocionaba tener en mis manos una joya como esa.

—Ese es uno de mis libros preferidos.

Dona tomó asiento frente a mí, guindó una bolsa con libros en la silla y apoyó la quijada sobre sus manos, como una niña esperando a que le lean un cuento. No supe responderle, mi lengua estaba amarrada y todos mis pensamientos eran una sustancia pastosa e inútil. Cerré el libro y me aclaré la garganta para continuar en silencio. Ella comenzó a reírse, sin pena, como si el hecho de estar ahí sentados no fuera una coincidencia, como si lo hubiéramos planeado y, además, ya lo hubiéramos hecho antes. Yo estaba cubierto por una capa caliente que iba aumentando de temperatura a medida que sus ojos permanecían más tiempo sobre los míos. No pestañeaba, ni cambiaba sus labios sonrientes de posición, simplemente me observaba en silencio. Bajé la mirada —como si estuvieran picando cebolla a mi lado— para esquivar sus ojos. Ella abrió su bolsa de libros y sacó un diario de cuero turquesa, lo abrió en la primera página y escribió la fecha. Continué en silencio, manteniendo la calma, para dedicarme a observar cómo su mano izquierda fue llenando la página de figuras extrañas. Dibujaba como si estuviera sola, disfrutando de su intimidad. Me aproximé a su diario abierto, recostando la barbilla sobre mis puños cerrados. Ella cubrió la página con su mano derecha y escribió una frase. No cambié de posición, simplemente esperé a que ella decidiera verme de nuevo para hablarle. No sé cuánto tiempo pasó hasta que terminó de cubrir toda la página con tinta negra, pero olvidé el proceso que tenía que hacer mi cerebro para utilizar el lenguaje. Me repetía una y otra vez la misma frase, perfeccionando su pronunciación, el orden de las palabras, la entonación, "Donatella, lamento mucho lo de ayer", "lamento lo que pasó ayer, Dona", "lo siento, Donatella"; en mi mente ya sonaba perfecto, pero no lograba sacarlo de la cueva. Ella subió la mirada y luego enderezó su postura, cerró el diario y lo desplazó hasta dejarlo bajo mis manos. No entendía qué quería decirme con eso, me puse bruto otra vez, no sabía si darle las gracias, si leer lo que había escrito, si terminar de escupir lo que me había estado repitiendo, pero antes de que pudiera decidir qué hacer, ella recogió sus cosas y se fue sin despedirse.

Agarré su diario y salí de la librería. Una corriente de viento se estrelló contra mi cabeza, despeinándome. La busqué con desesperación en ambas direcciones pero no logré alcanzarla ni con la vista. Mi pobre lógica me dio para caminar hacia el hotel.

Fui a la recepción y pregunté por su habitación pero, por políticas del hotel, no podían darme esa información. Llegué al cuarto, me senté en la cama y abrí el diario.

Nos vemos esta noche en el lago.

No podía dejar de leer esa frase que había dejado escondida entre todos los espirales, cubos, ojos con alas y demás criaturas extrañas que había dibujado. En una esquina había una ilustración de algo muy parecido a mí, con el cabello despeinado, la barba, las cejas repletas de líneas gruesas y negras, y mi cara apoyada de los puños cerrados. Sentí excitación al ver que ella había estado observándome para recrearme en el papel.

Bajé de nuevo al hall para pedir información. El hotel seguía lleno de hombres vestidos como marineros, unos llevando equipajes y otros guiando a los huéspedes a sus habitaciones. Me acerqué a una taquilla de atención especializada.

—Buen día, gracias por elegir a Andor, porque *Andor es para usted*. Mi nombre es Modo, ¿en qué puedo ayudarlo? —el hombre de la taquilla era enanito y barrigón. Tenía un sombrero de marinero.

—Mira... Modo, ¿hay un lago en Andor? —vi cómo se sacaba un moco con la uña rota del dedo meñique.

—No, definitivamente no —dijo al desocuparse.

No dejé que el enanito y sus cochinadas me desanimaran, así que agarré un mapa y me senté en una butaca para encontrar el lago.

—Sí hay un lago, y es... ¡enorme! —le metí el mapa entre los ojos.

—Si quieres llamarlo lago... Para mí es océano... o piscina... Pero cada quien tiene su gusto por las palabras —terminó con una risita melosa.

—¿Gusto por las palabras? Las palabras son o no son, pero no cambian de significado solo porque tú creas que significa lo que no es —le respondí enervado, tratando de ignorar los hilitos verdes que tenía entre los dedos.

Me alejé con ganas de hacerle tragar el mapa y me senté en el bar para tomarme un trago antes de ir al lago. Ya mi barriga estaba comenzando a trancarse. Mi apetito se volvió nulo y cada uno de mis nervios comenzó a ensayar su guion para el circo de la noche. La chica que me sirvió la jarra de cerveza derramó casi la mitad de la botella sobre la barra; no sé qué le pasó. Por un momento sentí que estaba tan nervioso, que todo mi entorno se estaba contagiando de la extraña energía que me envolvía. Tomé el resto del vaso en tres tragos y me levanté temblando, con el mapa estrangulado en mi puño. Por lo visto el lago tenía dos entradas; la primera estaba cerca del hotel y la segunda entrada estaba cerca de la librería en donde nos habíamos encontrado. Recordé sus palabras, dijo que nos encontraríamos de noche. Había un par de pescadores en la primera entrada, recostados en el muelle como si llevaran horas en lo mismo. Luego fui rápidamente a la segunda entrada, pero tampoco estaba ahí. Me sentí como una lombriz, un triste gusano enrollándose y enrollándose, sin pensar en una solución. Tenía miedo. Ella iba a pensar que no quería verla. Me senté en el muelle, resignado, cansado de angustiarme tanto. Lancé el mapa en un cesto pegado a un poste detrás de mí; no cayó adentro.

Una canoa vacía fue llegando lentamente a donde me encontraba sentado. Se dejó arrastrar por las ondas del agua, desde la otra punta del lago, como si me hubiera venido a saludar. La toqué con la punta del zapato y la empujé para que siguiera su paseo. Esperé sin moverme por un largo tiempo. Ya no se trataba de esperar a Donatella, sino de disfrutar el silencio en el muelle, cada vez más oscuro. Lancé una piedrita cerca de unos nenúfares y un grupo de peces naranja se asomaron en la superficie. Probablemente nadie los alimentaba. Me levanté dejando los ánimos y caminé sin prisa hacia el hotel. Las calles estaban solitarias y grises, la vegetación desteñida, como si los arbustos y los árboles se hubieran recogido ante la noche. Caminé con las manos en los bolsillos, pensando que podría afeitarme y quizás hasta cortarme las uñas. Tenía sed, mucha sed. Cuando pasé por la primera entrada del lago, titubeé y me acerqué para asomarme: estaba completamente solo. Me sentí peor. La sensación de vacío se multiplicó, pero al menos ya estaba seguro de que realmente me habían embarcado. Salí de ahí y me puse en la cola para entrar al hotel.

—Te estaba buscando.

Sí, "te estaba buscando" fue lo que dijo, dándome un manotazo en la espalda. Casi me hizo escupir la bilis, pero supongo que eso era puro cariño.

—¿Dónde había estado? Se perdió la mejor parte de la noche —me dijo Kai, con su acento extraño, más dormido que despierto y más ebrio que sobrio.

—Hola, Kai —estaba decepcionado.

—¿Qué pasa? Véngase conmigo, mis mujeres y yo le repondremos el ánimo —se rió, como si mi cara deprimida fuera un chiste.

—No pasa nada, estoy cansado. ¿Qué hiciste hoy? —cambié el tema.

—Hoy... —alcanzó a decir antes de derrumbarse sobre el piso.

Lo llevé apoyado de mis hombros a su habitación. Nos tomó al menos media hora encontrarla. Entre sus murmullos y sus risas, me tuvo dando vueltas un largo rato. Lo dejé acostado en su cama y permanecí un rato asomado en la ventana. El mar se veía muy plácido para ser mar, no era el agua rebelde, azul y agitada a la que estaba acostumbrado, sino un pozo de capas plateadas que vibraban sin moverse de lugar. Había un par de hombres uniformados podando las algas que crecen en la orilla debajo del agua, y otros dos estaban aplanando la arena con una máquina. El resto de la playa estaba durmiendo en la soledad. Podía escuchar el vacío gritándome a todo pulmón que fuera para allá, que caminara sobre esa arena suave y fría, que olvidara lo que no había pasado en el lago. Me distancié de la ventana y abrí la nevera de la habitación: estaba llena de salchichón y cerveza. Piqué un salchichón y me lo comí como si hubiera nacido para eso. Kai no paraba de murmurar cosas; quizás estaba sacudiendo su inconsciente para deshacerse de algo. Yo no quería irme de ahí. La luna era una gran esfera blanca y brillante, tan blanca y brillante que se notaba que era falsa. Pero si la veía fijamente, sin parpadear, podía perderme en su luz e imaginar que la estaba viendo desde mi casa en Caracas. Luego, al pestañear, me sentía sumamente extraño; casi extraviado en un sueño. Tener que esperar para poder volver a la vida, o incluso, para tener un pasaje directo a la muerte, era algo totalmente absurdo. Aunque, de igual forma, en la vida casi cualquier cosa también era un pasaje directo a la muerte. Yo era capaz de encajar la posibilidad de morir en cualquier circunstancia.

La habitación no tenía libros, imaginé que no le gustaba leer. Lo que sí tenía era una mesa de pool. Detestaba ese juego. Kai parecía una estrella de mar fuera de contexto: estaba boca arriba, con las manos y las piernas abiertas hacia cada lado, chorreando un hilito de saliva. Salí del cuarto y el pasillo del hotel estaba tan iluminado que parecía de día.

Al entrar a mi habitación encontré un ramo de flores y una tarjeta en la mesa de la entrada. Qué carajo iba a hacer yo con unas flores en ese momento. Todas las toallas, las sábanas y las alfombras eran nuevas; estoy casi seguro de que el día anterior habían sido de un color más claro. Probé el chocolate que habían dejado sobre mi almohada. Tenía un vago sabor a licor de menta. Me recosté pero estaba intranquilo; cada vez que cerraba los ojos me provocaba levantarme y hacer otra cosa.

Ya nadie podaba las algas, ni aplanaba la arena. Únicamente había una persona que caminaba lentamente por la playa, de orilla a orilla, metiendo la mano en un saco que colgaba de su hombro, para luego echar puñados de algo en el agua. Supuse que era sal. Tenía la cintura muy pequeña para ser un hombre, y la sombra de su cabello era larga y agitada. Me preguntaba cómo había tenido acceso a ese terreno. La sombra afeminada se fue alejando del agua, pero la luna no revelaba su identidad. Caminaba sin prisa, meneando la cintura y agitando la mano. Parecía una bailarina solitaria. Sentí un bajón en el estómago al descubrir que se estaba acercando al hotel. Salí corriendo de la habitación, llegué a la planta baja y comencé a buscar las diferentes puertas que daban al exterior. Había una en particular que parecía llevar hacia la playa. Me acerqué e intenté abrirla, pero estaba cerrada. No había nadie alrededor: de hecho, el lugar estaba oscuro. Caminé por los salones que rodeaban esa puerta y todos estaban llenos de marineros vigilando el área. Eso sí que estaba bien extraño. Le pregunté a uno de ellos que si había visto a una mujer entrando por ahí, pero no se molestó ni en pestañear. Di un par de vueltas más en la planta baja y luego volví a la habitación.

Me asomé de nuevo por la ventana y ahí estaba la mujer, otra vez echando sal en el agua. Qué carajo estaba pasando. Hubiera jurado que había entrado al hotel. Tenía que averiguar quién era, qué hacía ahí. Se quitó el bolso del hombro y lo dejó sobre la arena, luego se quitó la tela que la estaba cubriendo y se metió desnuda en el agua. Ay, Dios mío. Ahí sí que comencé a delirar. Estaba alucinando, tenía que estar alucinando. Eso no era normal. ¿Estaba borracho? La verdad es que ya no diferenciaba cuándo estaba ebrio y cuándo estaba sobrio. No en Andor.

La mujer parecía una sirena, hundiendo y sacando la cabeza del agua, jugando con su cabello, agitando sus pies en el aire, abandonando su cuerpo entre las olas tranquilas y calladas. Abrí la ventana lo más que pude y me senté en la baranda. Asumí que si me lanzaba no iba a morir, porque después de todo, ya estaba casi muerto. Nunca me habían mencionado que podía fallecer ahí adentro, sino que era un lugar "para usted" en el que tenía que tomar una decisión. La muerte venía después, en caso de que la eligiera. No en ese momento, no por una caída desde la ventana. No era un asunto de vida o muerte, era un asunto de ahora o nunca. Necesitaba lanzarme, correr hacia ella y desenmascararla. ¿Por qué tenía tiempo para echar sal y no para estar conmigo?, ¿por qué no fue al lago? Me apoyé del marco, listo para saltar, pero ella salió del agua. Se puso la tela encima, se colgó el bolso y comenzó a caminar de nuevo hacia el hotel. Era el mejor momento, podría saltar encima de ella, agarrarla con las manos en la masa. Brinqué.

Estrellé mi cara contra el piso alfombrado de la habitación. Tenía un terrible dolor de cabeza. No recordaba en qué momento me había quedado dormido. Sonaron mis rodillas cuando me levanté para correr al baño. Tenía rato conteniendo las ganas de cagar. El asiento de la poceta estaba congelado y era muy grande para mí: ahí cabían como ocho nalgas. Dejó de dolerme la cabeza cuando mis intestinos se comenzaron a desinflamar. Había un álbum en una cesta, con artículos de periódico engrapados. Qué considerados, en vez de ponerme revistas y periódicos, decidieron por mí qué artículos me podrían interesar. Pendejos.

VI

Sonó el timbre de la habitación. Abrí la puerta somnoliento, descalzo y con el pantalón de pijama desplazado de lugar. Había un marinero rechoncho con una carta en la mano. La entregó rápidamente y luego se fue trotando. Quedé inmóvil en la puerta, viendo lo ridículo que se veía el hombre con aquel uniforme. Cuando se metió en el elevador, observé el sobre que tenía en las manos y lo abrí antes de encerrarme de nuevo en el cuarto.

Estimado Sr. Edgar Enrique Crane ,

Se le recuerda que debe abrir el sobre ubicado en el ramo de flores.

Atentamente,

Claudia Ajena

¿Cómo coño sabía que yo no había abierto ese sobre? Lo arranqué del ramo y lo abrí despedazando parte del papel.

Estimado Sr. Edgar Enrique Crane,

Se solicita su asistencia en la reunión para la Prevención y Aceptación de su Decisión, en la oficina N°14 del edificio lateral.

No tarde más de 24 horas en asistir.

Atentamente,

Claudia Ajena

Ahora sí lo habían logrado, mi nivel de arrechera había llegado al tope. Ni dirección, ni fecha, ni hora. Ya no tenía sueño. Me vestí y salí de la habitación para volver a la taquilla de atención especializada. Esta vez había un hombrecito bien flaco y moreno con cara de zombi. Me indicó cómo llegar al edificio lateral: era a través del hotel, por uno de los pasillos del último piso. Me monté en una escalera mecánica y llegué a un pasillo con oficinas. Todas tenían la luz encendida y a cada lado de las puertas había un marinero con una vara de madera. Entré en la oficina N°14 y la secretaria me indicó que esperara un momento para que el "consultor" saliera. Tomé asiento conteniendo la rabia y me dediqué a mover la pierna con nerviosismo. Había dos torres de revistas y un televisor apagado. Era el único en la sala de espera, además de ella. Permanecí en silencio, detallando su cabeza: llevaba una gorra que le quedaba enorme.

Cuando pasé al consultorio, encontré a un tipo joven, de esos que llaman "adultos contemporáneos", vistiendo una bata rosada.

—Buenos días, Sr. Crane. Por favor, tome asiento. Bienvenido a la reunión de Prevención y Aceptación de su Decisión. El día de hoy hablaremos de usted. ¿Cómo ha sido su estadía en Andor?

—Bueno, no me quejo.

—De acuerdo, muy bien —anotó algo en una carpeta y levantó la mirada. Tenía la boca hinchada y la nariz prominente. El cabello era demasiado negro, parecía un peluquín—. Dígame, Sr. Crane, ¿ya sabe qué decisión quiere tomar?

—Supongo que sí —pausé—. Quiero volver a vivir.

—De acuerdo, muy bien, muy bien. Entonces, está al tanto de las leyes que usted debe cumplir para poder volver a la vida, ¿no es así? —asentí con fastidio—. Sr. Crane, ¿está usted consciente de lo importante que es el cumplimiento de las reglas mencionadas en la carpeta que se le entregó el día en que bajó al depósito letal? De ser así, no tendrá problemas, pero por alguna razón se le pidió asistencia a esta reunión, ¿sabe usted por qué?

—No —respondí cansado.

—El sistema de seguridad ha rastreado su interés por algo —sacó otra carpeta de un archivo—. Aún le queda tiempo para anunciar su decisión, le recomiendo que mida su comportamiento —me vino la imagen de Donatella, pero cambié rápidamente de pensamiento por paranoico—. En dos días deberá volver a esta oficina para que estudiemos su proceso. Eso es todo. Puede irse en paz. ¿El carajo tenía complejo de cura o qué? Salí de ahí lo más rápido que pude. Qué locura. "Su interés por algo". ¿Acaso tenían radares o estaban espiándome? Bajé por la escalera mecánica y salí del hotel. Necesitaba tomar aire fresco.

Los marineros ya no tenían varas de madera sino

maletas que llevaban de un lado a otro. Los pasillos olían a comida recién hecha y las mesas estaban abarrotadas de personas muertas de hambre, como si la ansiedad por volver a la vida les provocara un apetito del más allá. Me provocó sentarme a comer, pero subí directo a la habitación y me acosté a dormir.

Sonó el teléfono del cuarto. La melodía era una pesadilla, la peor versión de *Für Elise* que había escuchado. Estiré el brazo, lo desenchufé y seguí durmiendo. Volvió a sonar. No sé cómo. Pero sonó. Quité la almohada de mi oreja y me senté al borde de la cama. El sonido plácido y frío del aire acondicionado me volvió a tumbar en el colchón. Quedé tendido boca arriba con los ojos cerrados. Estaba agotado, mi cabeza era una esfera de metal insostenible. El teléfono no dejó de sonar, así que tuve que atenderlo.

—¿Edgar?

—¿Sí...?

—Soy yo. Dona —se aclaró la garganta—. Baja a la entrada del hotel. Colgó la llamada antes de que pudiera decir algo más.

Me lavé la cara y eché un pedazo de pasta dental en mi boca. Salí corriendo hacia el ascensor. Comencé a respirar profundo para no vomitar. Estaba nervioso. ¿Por qué coño estaba tan nervioso? Ni quise verme en el espejo, quedé observando los botones para marcar los pisos. El ascensor se abrió, pero permanecí adentro, sosteniendo el botón rojo para que no se cerraran las puertas, mientras echaba un vistazo. No encontraba a Dona, así que me arrimé a una esquina del lobby para buscarla desde ahí. Recordé que estaba en la entrada. La piel se me estaba chorreando, pero tuve que seguir caminando. Mi pulso estaba tan agitado que los sonidos del hotel eran nulos. Escondí mis manos en los bolsillos y tragué un balde de saliva. Sonrió al notar que me acercaba a ella. Estaba sentada en un banquito frente a la parada de taxis del hotel. Se levantó y me dio un beso en la mejilla. Luego su expresión cambió drásticamente.

—Discúlpame, Edgar.

Permanecí a su lado sin hablar. Ya sus ojos estaban azules, no verdes. En ese momento entendí por qué se estaba disculpando, pero yo no era un caballero, yo era un idiota dolido. Fue ahí cuando recordé que solo nos habíamos visto... ¿tres veces? Ella no me debía nada.

—Yo quería estar ahí —tomó mis manos y sentí un escalofrío terrible en las nalgas, así que cambié las piernas de posición—. No fue mi culpa, la directiva de Andor me citó justo en ese momento en una de sus oficinas.

—¿Qué? —no podía creerlo. Le pedí de vuelta mis manos y las sequé con el pantalón. Con que eso era lo que estaban haciendo. Ahora estaban controlando mi vida personal. El coño de sus madres.

—Sí, ¿a ti no te citaron? A todos los que llegamos el 16 de diciembre nos citaron ayer. Hasta pensé que quizás nos encontraríamos ahí —se rascó la oreja izquierda—. De hecho, he estado llamando a tu habitación desde ayer.

—¿Cómo conseguiste mi número de habitación?

—Te busqué en la lista de firmas... Hay una en la plata baja de cada torre —dejó de hablar cuando vio mi

61

cara de confusión y bajó las manos, dejando su rostro despejado—. En fin, quería disculparme. ¿Te gustaría hacer algo ahora? —asentí con la cabeza—. Vamos a ver una película.

—Vale... Después de ti... —respondí, dándole paso para seguirla.

Su habitación estaba en el mismo piso que la mía y era del mismo tamaño. La nevera estaba llena de sushi y, además de la biblioteca, había una cinemateca. El resto de las cosas eran igual de rosadas. Pusimos *Casablanca* por decisión unánime. Teníamos las manos muy cerca, podía sentir el calor de su cuerpo, como un aura que se agitaba sobre mis dedos. Ella estaba con las piernas montadas en el sofá, en posición de india. Tenía que respirar profundo para no volverme loco sobre ella. De vez en cuando me observaba, como si quisiera asegurarse de que yo la estaba pasando bien. Tenía los ojos tan abiertos que parecían esferas de agua a punto de explotar. Siempre estaba sonrojada y con los labios coloridos. Se metía una cotufa a la vez, como si se dedicara realmente a saborear la sal, y luego a morderla para tragar y continuar con el proceso. Ella era humana, era lo cálido que a mí me faltaba. Yo dejaba que mi sangre siguiera su proceso de desintoxicación, para ser un mejor hombre para ella y solo por ella.

Cuando terminó la película, quedamos viendo los créditos en silencio. Dona cerró los ojos y recostó el cuello hacia atrás, dejándolo expuesto ante mí. Apreté mis labios y tragué saliva. Luego se metió la mano por dentro de la camisa y se rascó el hombro. Volví a ver el televisor y traté de concentrarme en las letricas que iban apareciendo en la pantalla. Donatella comenzó a hacer un ruido con la garganta, como si fuera un gato ronroneando. Yo afinqué mis manos en el sofá y respiré hondo. Cerré fuertemente los ojos y luego la miré. Ella se estaba pasando la lengua por los labios muy lentamente. Sentí incómodo el pantalón y cambié mi postura para disimular la erección. Necesitaba cogérmela en ese instante. Le vi las pestañas recostadas hacia abajo y acerqué mi boca a su cuello. Dona subió rápidamente su mano y la puso en mi nuca, apretándome contra ella. Mis labios rozaron su quijada y solté un leve gemido. Ella subió la boca y la dejó abierta. Deslicé mi nariz hasta adentrarme en su cabello. Cerré los ojos y aspiré el olor de su piel. Rodó la cara hacia un lado, dejando su cuerpo abierto, desesperado por el tacto. Mis manos subieron por su espalda, arrugando los pliegues de la camisa. Nuestras bocas intentaron encontrarse, pero ella se alejó cuando rocé mi labio superior con su labio inferior.

—Necesito estar sola.

Me distancié: la miré confundido y arrecho. Ya se estaba volviendo habitual que me dejara en ese estado. Dona se levantó del sofá y apagó el televisor. Sentí tanta rabia que abrí la puerta del cuarto y me fui sin decir nada.

VII

Al entrar en la habitación, encontré otro ramo de
flores junto a una carta. Me sentí irritado cuando observé
las rosas abiertas y húmedas. También había un smoking
colgado de un gancho en la puerta del cuarto. Abrí el
sobre de una vez: era una invitación para una cena formal.
Eso significaba tener que encontrarme de nuevo con
Donatella. Rompí la carta y la tiré en la papelera. Luego
tomé las flores y las lancé al mismo cesto de basura.
Cuando pasé a la sala, encontré a un marinero sentado en
el sofá. Su sombrero blanco con rayas azul marino estaba
sobre un cojín. Tenía las piernas cruzadas como una
anciana, dejando la bota negra del pie derecho en el aire.
Fumaba una pipa como si tuviera toda la vida para eso y,
además, como si estuviera solo, como si yo nunca hubiera
entrado ahí, como si esa fuera su habitación. Miraba hacia
la ventana y creaba formas circulares con el humo.
Soplaba un círculo dentro de otro, dentro de otro, que a
su vez, estaba dentro de otro. Era el primer marinero viejo
que veía en Andor. Debía tener como setenta años. O
quizás cuarenta. No sé, la piel de los asiáticos es muy
engañosa. Tranqué la puerta con fuerza, pero él siguió
soplando más círculos.

—¿Puedo ayudarle en algo?— le pregunté de mal humor, viendo al fin su cara completa. Parecía una cachapa quemada. Era un asiático moreno.

—¿Cómo dice? —respondió en inglés. Obviamente no entendía español. Me pareció raro, porque todos los empleados me habían hablado en español hasta entonces.

—¿En qué lo puedo ayudar? —repetí molesto.

—¿Por qué me hace esa pregunta? Yo soy el que debe preguntarle eso a usted —se sacó la pipa de la boca y comenzó a ver mis pies —. Venga, siéntese a mi lado.

—¿Qué hace en mi habitación? —observé los lunares negros y gordos de su frente.

—Ahora también es mi habitación —respondió tranquilamente —. Usted puede seguir durmiendo en la cama, yo dormiré aquí afuera.

—No entiendo.

—Ya cumplió cinco días en Andor, es decir, la mitad del tiempo. Si leyó completamente la carpeta de instrucciones, debería saber que los últimos cinco días contará con la presencia de un *Asistente de compañía y meditación* para la toma de su decisión —clavó sus ojos diminutos y grises en mí, y me estrechó su mano—. Ése soy yo y para eso estoy aquí.

— No sabía —seguramente eso es lo que decían las letricas miserablemente pequeñas en el borde inferior de las instrucciones de Andor—. ¿Tienes nombre?

—Sí, tengo nombre —se levantó del sofá, haciendo que mi cuerpo se equilibrara de nuevo sobre la superficie de cuero, y se dedicó a pasar el dedo por encima de todo lo que encontraba en su camino—. Debe sentir felicidad por la falta de polvo y sucio en la habitación.

—Supongo —miré el movimiento de su dedo pasando por la biblioteca, imaginando que era una salchicha polaca llenando de grasa los libros—. Bien, ¿nombre?

— Takeshi —hizo una pausa elegante—, significa hombre fuerte. Y usted se llama Edugaru, ¿no es así? —preguntó con su acento japonés.

—Sí, pero no sé qué significa.

—Eso no importa. De ahora en adelante usted se llamará Kazuki. Significa esperanza, cosa que a usted le hace mucha falta.

—¿Gracias? —respondí, sin saber cómo tomarme lo que estaba diciendo.

—De nada, no hay problema —Takeshi hizo una reverencia con la cabeza y se metió en la cocina. Yo quedé inmóvil en la sala. No podía estar tranquilo después de lo que había pasado con Donatella. Tenía la mandíbula tensa y las manos sudorosas. El asiático se puso a cocinar unos vegetales al vapor que se veían realmente raros, pero el olor no estaba mal. Primero, aparecía en mi habitación y, segundo, se ponía a cocinar.

—Kazuki-san, ¿se probó el smoking?

—No, pero es de mi talla —respondí, sin prestarle mucha atención.

—Pruébeselo —se echó pimienta en las manos y la comenzó a salpicar sobre la salsa que estaba haciendo con mantequilla.

—¿Es obligatorio usar un smoking? —pregunté, al despertar del ensimismamiento.

—Sí, todos los caballeros deben ponérselo. Hoy es la cena formal —hablaba como si todo fuera obvio.

—¿Solo irán "caballeros"? —desvié la mirada.

—Por supuesto que no. Todos los pacientes —se rió—, ¡pero qué estoy diciendo!, todos los huéspedes de Andor deben asistir. ¿Pacientes? Takeshi dejó la paleta llena de salsa sobre un platico y se volteó únicamente para clavarme la mirada. Había algo sospechoso en ese tipo.

—¿Desde cuándo trabajas como guía en Andor?

—Eso no es de su incumbencia —su tono fue tajante. Me sentía agotado y desganado. No tenía ganas de seguir hablando, ni de comer lo que estaba preparando Takeshi.

—Voy a recostarme...

—Lo despierto cuando sea hora de vestirse para la cena. Subí los hombros y me encerré en el cuarto, sin darle importancia a lo que había dicho. Me recosté en la cama y cerré los ojos. Ya no sentía rabia, sino tristeza. Ella sabía que la deseaba y se aprovechaba de eso. Takeshi se acercó y tocó mi hombro.

—Kazuki, hora de vestirse.

—¿Qué hora es? —estaba medio dormido.

—Ya es hora de ir a la cena.

La idea de pararme de la cama para bañarme, vestirme y bajar a la cena, en donde posiblemente me encontraría con Dona, me daba demasiada ladilla. Tardé como dos horas en quitarme el sueño de encima. Al final bajé a la fiesta prácticamente arrastrado por Takeshi. Creo que lo único que me entusiasmaba era que iba a seguir bebiendo. Y en eso pasé las horas, casi en blanco, con la botella de ron siempre dentro de mi campo visual. Ya eran las dos de la madrugada y, por suerte, Dona no había aparecido. Takeshi y yo estuvimos conversando, al igual que el resto de las personas con sus guías. ¿Conversando de qué? No sé, de cualquier cosa conversable en lugares como carros, ascensores, colas para pagar tickets de estacionamientos y mercados. Conversaciones que nacieron para rellenar espacios, para convertir el silencio en sonidos. Conversaciones. Convertidores. El tipo era como un pozo roto: no paró de comer y de tomar sake en toda la noche. Iba de mesa en mesa, pescando los platos que se vieran más apetitosos para traerlos a donde estábamos sentados. Una que vez que yo me decidía a probarlos, Takeshi decía que eran sumamente picantes para un occidental y que solo alguien como él era capaz de tolerarlo. De vez en cuando notaba que Esmeralda me veía desde su puesto. Ella estaba con una mujer de mayor edad con rasgos latinos que la hacía copiar algo en un cuaderno. Ambas tenían el contorno de los ojos muy maquillados. A mis amigos no los vi en toda la noche; debieron estar en otra parte, o posiblemente en la cárcel de Andor. Cada vez que los platos se acababan, eran automáticamente reemplazados por otros con comida típica de todos los países del mundo. Cada vez que comenzaba un tema *delicado*, él volvía a hablar sobre la contaminación ambiental. Era mejor no discutirle nada de lo que decía, porque se arrechaba y me obligaba a tomar otro sake. La pista de baile permaneció vacía mientras estuve en el salón. Fue patético. Era como si cada quien estuviera midiendo sus pasos, asustados de cometer un error, de aferrarse a la comida, a la bebida o a alguien.

—¿Qué le pasa? —sostenía su bebida como a un trofeo.

—Estoy aburrido.

—No sea ridículo, Kazuki. Usted parece preocupado.

—Dime, realmente, ¿para qué te mandaron a dormir en mi habitación?

—Ya se lo he explicado. Usted necesita un guía para tomar su decisión. Úseme —los ojos de Takeshi parecían dos metras dislocadas de sus órbitas. El sake estaba comenzando a arrimarlo de su puesto de guerrero honorable. Sacó una pluma y un cuaderno—. Anote aquí sus opciones.

Abrió el cuaderno frente a mí y metió la pluma en mi puño cerrado. Luego dobló sus brazos y se acostó a dormir sobre ellos. Poco a poco se fueron yendo los huéspedes, quedando únicamente los guías. Había uno que otro marinero recogiendo platos sucios y doblando manteles manchados de vino. Yo seguí pensando. Revisando mis baúles de confusión y dolor viejo. Dona no aparecía, pero ya era costumbre. Al final escribí una sola línea: "El vello corporal es como la ideología política", y dejé el cuaderno en la mesa, frente a Takeshi, antes de abandonar el salón.

Había cola para subir por el ascensor. Eso me dio la cálida sensación de estar en Caracas. Me detuve al final de la fila y quedé observando los flecos de la alfombra. Una sombra interceptó la mía y de ella salió la voz de una mujer.

—Acompáñame.

El cabello recogido en una cola iba danzando sobre su espalda descubierta. Caminaba recto, sin soltarme de la mano. A medida que nos alejábamos del hotel, sentía más ganas de ir al baño. Pasamos por los jardines, por algunos locales cerrados, por la librería, por la segunda entrada del lago. Dona caminaba sin verme y yo sin poder confrontarla. Cruzamos una plaza que nunca había visto, más jardines, y nos metimos en un bosque de pinos en donde me soltó. Se agarró la falda y la haló con fuerza, hasta romperla y dejar sus piernas descubiertas. Tiró la franja de tela sobrante sobre las raíces de un árbol y luego se quitó los tacones. Por un momento creí que estaba salivando, así que me pasé la mano por la barba; suspiré de alivio al descubrir que estaba seca. En ese momento me vio a los ojos. Subí las cejas y así quedé esperando. Le estaba dando chance para que explicara qué carajo le pasaba. Como no dijo nada, bajé las cejas y metí las manos en los bolsillos. Por un instante volví a sentir rabia, pero rápidamente se convirtió en excitación.

Sacó un encendedor y una caja de cigarros de su escote. Agarré uno como si estuviera tocando una extensión de su cuerpo y lo chupé como si la estuviera chupando a ella. Dona también agarró un cigarro y se volvió a guardar la caja, esta vez en la tira del lado derecho del sostén. Volví a aspirar el cigarro y me perdí en la raya que dividía sus tetas. No me importó verla sin disimular, y a ella tampoco pareció molestarle. Mientras más tiempo permanecían mis ojos sobre ellas, más rojas e infladas se le iban poniendo. Elevé la mirada por un breve momento y me di cuenta de que ella estaba observando mis manos con atención. Volví a bajar la mirada y estudié sus pies de nuevo. Tenían el arco amplio y pronunciado. Metí el cigarro en mi boca, y me agaché para tocar sus talones. Ella no se movió. Se quedó clavada en la tierra como una flor abierta. Boté el humo del cigarro y volví a aspirar. Mis manos bajaron de los talones hasta sus dedos. Los toqué con cuidado, como si fueran de cera.

Me senté en el suelo y subí mis manos por su cuerpo. Ella pareció debilitarse con mi tacto y le tembló la rodilla izquierda. Volví a bajar para recorrer el resto de sus piernas. Había estado deseando hacerlo desde que la vi por primera vez en la estación. Saqué el cigarro consumido de mi boca y lo dejé tirado a un lado. Pasé mis palmas por sus muslos y ella, sin darse cuenta, cerró los ojos y amplió la distancia entre sus pies. Me acerqué un poco más a su cuerpo y mordí el borde de su vestido rasgado. Ella puso sus manos en mi cabeza, aferrándose a mi cabello con los puños cerrados y furiosos. Yo no pude sino seguir acercando mi boca hasta tocar su piel.

Subí la mirada y vi que ella tenía la cabeza hacia atrás, con la nariz apuntando al cielo. Abrí mis piernas y arrimé su cuerpo de estaca hacia mí. La rodeé con mis pies y volví a meter mi cabeza debajo de su vestido. Gimió silenciosamente y yo pasé la lengua muy cerca de su entrepierna. Me agarró con más fuerza y yo mordí la pantaleta hasta quitarla de mi camino. Agarré sus nalgas y la empujé hasta que mi lengua se metió como una intrusa. La lamí sin poder detenerme. Sus piernas se volvieron tan blandas que se cayó en la tierra. Le arranqué lo que quedaba del vestido y la observé expuesta ante mí. Era una hermosa escultura de mármol. Le gustaba que yo la viera desnuda, podía notarlo. Me ponía nervioso, me provocaba destruirla. Me desesperaba tener su cuerpo tan cerca, abierto y liso. Quería rasgarle la piel como una camisa y verla por dentro. Sus ojos estaban muy azules, muy intensos. Parecían dos piezas de ficción. Me miraban tomándoles un tiempo reconocerme. Yo no dejé que lo hiciera y volví a sumergirme adentro de ella. Parecía indefensa, perdida en su propio deseo. El sabor de la nicotina en mi lengua se mezcló con sus fluidos y yo solo succioné. Ella clavó los dedos en la tierra, como si fueran las raíces de una planta, y dejó que se le terminara de ir la mirada.

Me quité los zapatos y las medias. Abrí el cierre de mi pantalón y lo bajé velozmente. Luego me saqué la chaqueta y la camisa por encima, para no tener que abrir cada uno de los botones. La tomé por la espalda y me adherí a su cuerpo. Dona abrió las piernas y me haló hacia ella. Arañaba mi culo y trataba de balancearme rítmicamente. Subía las piernas y clavaba sus talones en mi coxis. Yo, torpemente, no lograba seguirle el paso. Le sobaba un lunar abultado que tenía en el cuello. Me intrigaban los relieves de su cuerpo. Le pasaba la lengua, lo mordía delicadamente. Me concentraba en sus texturas. Gemíamos como si no hubiera nadie en el mundo que pudiera escucharnos. Ella insistió en aumentar la velocidad. Cada vez le dimos más y más rápido, hasta que grité en su cara.

Extenuado, me dejé caer a su lado. Dona hizo un esfuerzo por tragar y luego me observó como una gata recién parida. Me arrimé hasta enredar mis piernas con las suyas, y apoyé mi barbilla sobre su barriga. Observé la cara de Dona, escondida entre sus tetas y me sentí sereno.

Quitó la pollina de mi frente, echándome el cabello sudado hacia atrás. Su mano suave comenzó a delinear el borde de mi cara. Resbaló su dedo índice por mi nariz y aterrizó en mi boca. Permanecí quieto, mirándola como un perro agradecido.

VIII

Takeshi llevaba rato contemplándome como si supiera que algo había pasado.

—¿Vas a querer huevos revueltos o no? —le pregunté, viendo cómo se escondía detrás del periódico.

—Le dije que sí —sacó un cuerpo del periódico, lo dobló y siguió leyendo el que dejó sobre sus piernas—. Es increíble lo que sucede hoy en día en Tokio. ¿Conoce Tokio?

—No, nunca fui —eché queso rallado a la sartén.

—Ya no vale la pena, es un escándalo —dijo como si lo hubieran insultado.

—¿En qué año llegaste a Andor? —pregunté, oliendo el queso mezclado con la cebolla sofrita.

—¿Kazuki está cocinando o interrogando? —cerró el periódico. Nos sentamos en la mesa y Takeshi sacó unos palitos de madera pulida de su abrigo.

—Es más cómodo comerlo con tenedor y cuchillo —
le dije, pinchando un trozo de huevo.

—No es propio hablar de comodidad cuando no se
sabe la raíz de la palabra —agarró tres trozos de huevo,
los bañó en una salsa marrón y espesa (que no sé de
dónde sacó), y se los metió en la boca con elegancia—.
Hoy tiene su segunda cita con el doctor, ¿a qué hora debe
ir?

—No me dieron hora, pero salgo en un rato.

El hotel estaba tan jodido como siempre. Gente
llegando, marineros con maletas, mesoneros llevando
bebidas rosadas de un lugar a otro. Nada diferente. Llegué
al pasillo de oficinas y toqué la puerta número 14. Me
atendió la secretaria. Tuve que tomar asiento. Ahí estaba
el mismo televisor, con una presentación de imágenes de
paisajes y una musiquita como de programa astrológico. A
mi lado había un señor con cara de alcachofa. Parecía
fascinado con la música, movía las piernas como si tuviera
las rótulas de las rodillas dislocadas. Supuse que tendría
que esperar a que él pasara primero para luego averiguar
qué coño querían de mí.

—¿Qué hubo? —dijo la alcachofa.

—¿Cómo? —hice como si no hubiera entendido lo
que dijo.

—¿Qué hubo? —tenía acento indio. Se quedó
esperando a que yo contestara, con los ojos entrecerrados.
Tenía la piel canela y su cabello estaba escondido en un

turbante.

—Aquí... esperando.

—Sí, aquí estamos esperando. Lo difícil es dejar de esperar — habló con tono ceremonioso. Se levantó para estrecharme su mano carrasposa y se volvió a sentar—. ¿Qué hubo?

—Esperando todavía.

Tomé una revista para no tener que conversar. Él se volteó y siguió viendo el televisor. Comencé a leer una entrevista que le hicieron a un hombre alemán sobre la influencia del chorizo en su vida.

—Pase adelante, señor Gupta. La alcachofa juntó sus manos, como si estuviera rezando e hizo una reverencia antes de entrar en el consultorio.

—¿Cómo te llamas? —me dirigí a la secretaria.

—Minie —su voz era gruesa y ronca.

—Minie, ¿cómo cuánto falta?

—Usted no tendrá su cita en esta oficina. Ya vendrán a buscarlo —dijo, más interesada en la revista que leía que en mí.

—¿Quién me viene a buscar?

—Su guía.

Esperé un poco ansioso, contemplando las imágenes

de campos lluviosos, cascadas, sembradíos de tulipanes y playas en el televisor, hasta que finalmente llegó Takeshi. Caminamos por unos pasillos exageradamente iluminados. Él no me miraba. Había marineros lustrando los marcos de unos espejos. El lugar era frío y el techo transparente. No había cielo. No había alfombras. Se escuchaban nuestros pasos, pisada por pisada. Olía a jabón. De vez en cuando sentía la mirada de Takeshi asomada, como la de un gavilán. Estaba siendo arrastrado a un abismo blanco y denigrante. La vida que tenía en Caracas parecía un sueño lejano. Me sentía atrapado en las letras de la palabra d-e-s-c-o-n-o-c-i-d-o. Dando giros en las "o", siendo golpeado por el palo de las "d". El pasillo se veía infinito frente a mí. No me importó, quería que siguiera creciendo hacia adelante para no llegar nunca a la cita.

—Pase adelante, Kazuki. Yo lo esperaré aquí.

Era un salón extenso y tan iluminado como el pasillo. Había una pequeña mesa de mármol con dos sillas en cada extremo. Una de ellas estaba ocupada por un hombre. Se bajó los anteojos hasta la punta de la nariz para echarme un vistazo y luego se los volvió a subir para escribir algo. No dijo una palabra. Takeshi cerró la puerta por mí; yo quedé paralizado en la entrada, esperando algún tipo de orden. El señor tenía el cabello canoso, sin embargo no parecía mayor de cuarenta años. Llevaba un flux negro con botones plateados y una camisa rosado pálido. Sin corbata. Su postura era impecable. Me aclaré la garganta, pero no me atreví a decir nada. Sus rasgos eran atractivos, como los de un actor italiano de los años cincuenta.

—¿Le gustaría un habano?

—No, gracias —me arrepentí de inmediato. Hubiera querido aceptarlo.

—Tome asiento, señor Crane —cruzó las piernas y me vio a los ojos: los suyos eran casi transparentes—. Disculpe los inconvenientes por el cambio de fecha de su cita. Solo atiendo días como hoy.

—No hay problema —las piernas me temblaban. Me sentía en el consultorio de un dentista—. ¿Por qué estoy aquí?

—Ya llegaremos a ese tema. Vayamos con calma —abrió una carpeta de cuero marrón y comenzó a leer. Noté que tenía un anillo dorado con una gran A en el centro, y las uñas perfectamente cortadas—. Usted llegó a la estación el día 16 de diciembre. Fue seleccionado para vivir diez días en Andor, debido a su involuntario estado de coma. Abrió la carpeta de instrucciones antes de tiempo, aún cuando le dijeron que no debía hasta salir del ascensor. No ha socializado mucho con sus compañeros. Le asignaron a Takeshi- san como guía...

—Ya sé todo eso. ¿Qué estoy haciendo aquí?

—Permítame finalizar. No ha parado de tomar café. No le ha sacado suficiente provecho a nuestras instalaciones. Ha tenido sueños turbulentos —hizo una pausa—. De acuerdo, le pregunto, ¿está usted aferrándose a algo? —permanecí en silencio, sin querer responder. Sabían demasiado de mí—. Señor Crane, ¿está usted aferrándose a algo? — repitió.

—No que yo sepa.

—¿Que usted sepa? —preguntó con una risa cínica.

—No lo sé. Aferrado es una palabra muy fuerte —me callé por un rato, pero el silencio no aflojó su paladar—. ¿Piensa que estoy aferrándome a algo?

—¿Usted no? —atrapó mi sarcasmo y me lo lanzó de vuelta.

—Supongo que no.

—¿Podría jurar ante la corte que usted no se está aferrado a nada?

—Exactamente —me levanté de la silla y puse la mano derecha sobre mi pecho, como si estuviera jurando ante una corte.

—No sea ridículo, señor Crane —volteó los ojos y dio un largo suspiro—. Este tipo de burlitas le pueden costar la vida, ¿lo sabe?

—Ahora lo sé, gracias por el aviso —me acerqué a la salida; él no se movió de su puesto. Vi la sombra de Takeshi por la ranura de la puerta. Permanecimos callados por un tiempo.

—Hagamos algo señor Crane —dijo de pronto, como si hubiera encontrado la cura de una enfermedad—. Vuelva en dos días.

Takeshi y yo salimos del salón en silencio. Por algún motivo sentía que me había traicionado por llevarme adonde aquel tipo. Caminé hacia la librería y Takeshi me siguió sin decir nada. Pedí un café y él un té verde. El librero atendía a un grupo de árabes que estaban llevándose cinco cajas de diccionarios en inglés. Olía a caramelo. Había una que otra persona entre los estantes. Un señor sentado en una poltrona estaba leyendo una antología de los grandes poetas del siglo XX. Takeshi y yo éramos los únicos consumiendo bebidas. Me senté y él ocupó la silla de enfrente. Buscó conversación como si no hubiera pasado nada.

—Qué tarde tan agradable —dejó la taza de cerámica sobre un platico redondo. Lo observé con el entrecejo fruncido e ignoré su comentario. Continuamos callados un rato más hasta que me cansé.

—¿Te gusta vivir aquí? —le pregunté, moviendo la espuma blanca del café. Sus facciones se volvieron suaves y poco expresivas. Sus manos sujetaron la taza como a un objeto delicado y tomó un sorbo con mucha calma. Su mirada era poco legible.

—Me gusta servir —seguí tomándome el café sin pensar mucho. Los árabes finalmente dejaron de fastidiar al librero y se fueron con sus cajas a la plaza de enfrente. Takeshi seguía observándome, como si buscara significados dentro de mi silencio—. Kazuki, los que se aferran a la vida mueren, los que desafían a la muerte sobreviven, los que nos rendimos ante ambas permanecemos —dijo casi susurrando, como si estuviera componiendo un haiku.

Nos volvimos a sumergir en nuestro silencio común. Él respiraba como si estuviera meditando y de vez en cuando sonreía a quienes tenía a su alrededor. A una que otra persona la saludaba cordialmente y luego volvía a posar su mirada en la ventana. No estábamos apurados, no teníamos que ir a ningún lado.

—Kazuki, ¿no le cansaba su vida en Caracas? —subí los hombros incómodo y ordené otro café.

—¿Quieres otro té?

—No, gracias. Hay que saber cuándo decir basta —
sonrió.

—Siempre estaba apurado —dije al fin, luego de
meditar mi respuesta—. Siempre tenía que estar en algún
lugar. Siempre tenía que cumplir las exigencias de las
personas que me rodeaban— acomodé el cojín que tenía
en la espalda.

—Solo en la actividad se desea vivir por años— cerró
los ojos.

—Sí, pero, ¿de qué sirve vivir por años cuando no te
gusta lo que vives?— contesté golpeado.

—¿Qué no le gustaba? —preguntó interesado.

—Nada —estaba impaciente, quería levantarme de la
mesa—. Todo fue perdiendo el sentido.

—¿Alguna vez tuvo sentido?

En ese momento Takeshi se levantó de la silla e hizo
una reverencia. Cuando se enderezó de nuevo, agarró la
mano de alguien y la besó.

—Querida Indira —tomó la mano canela y tatuada
de aquella mujer. En ese momento entendí que la
reverencia no tenía nada que ver conmigo, y agradecí que
hubieran interrumpido la conversación—. ¿A qué debo el
honor de su presencia? —la invitó a sentarse con
nosotros.

81

—Mi ahijada está arriba, buscando unos libros —dijo, sentándose a mi lado. Su vestido era de gasas vaporosas. Tenía una manta sobre otra, de colores azul y blanco. El cabello le llegaba a la cintura y estaba recogido en una larga trenza tejida con cintas rojas.

—Oh, ya veo —respondió Takeshi, con una sonrisa—. Le presento a mi ahijado, Edgar Enrique Crane.

¿Ahijados? Hice un gesto con la mano y fingí una sonrisa. No recordaba haberle mencionado mi segundo nombre a Takeshi. Extraño. La mujer me intimidaba. Sus ojos eran muy oscuros para ser negros. Ella se limitó a bajar la cabeza y a observarme como si estuviera buscando algún lunar cancerígeno en mi piel. Luego se puso a conversar con Takeshi en voz muy baja. Parecía que estuviera moviendo los labios sin expulsar ningún sonido. Si no hubiera sido porque Takeshi también movía los labios, hubiera pensado que lo hacía para no tener que lidiar conmigo. Me disculpé y salí de la librería a tomar aire. Estaba tan confundido que a cada minuto cambiaba de idea. Por momentos pensaba que lo mejor era que me alejara de Dona, pero no pasaba mucho tiempo cuando ya sentía la necesidad de volver a estar con ella. Me senté en uno de los banquitos que estaban afuera del local y apoyé la cabeza en mis manos. Me sentía extremadamente cansado, con los párpados pesados y picantes. Quería acostarme a dormir por un mes y olvidarme de toda la situación. No entendía cómo es que había caído en ese drama por haber tratado de acabar con otro drama. Me eché para atrás en el asiento de tablitas de madera y quedé observando el jardincito al estilo abadía que tenía enfrente. Quería saber en dónde estaba, en qué parte del globo terráqueo estaba ubicado Andor. Intenté sacar la cuenta de qué parte de mí era lo que estaba ahí, si todavía mi cuerpo seguía en la clínica en estado de coma. Pero mi cerebro no daba para eso. Quizás si yo fuera un físico cuántico o un filósofo hubiera tenido una buena respuesta para todo el planteamiento. Se me pasó varias veces por la cabeza que todo era un puto sueño, una pesadilla de niño problemático, pero eso hubiera sido muy fácil. Además ya había tenido varios sueños estando dentro de Andor. ¿Un sueño adentro de otro sueño? No. Tampoco había visto tanta ciencia ficción como para creerme eso. Los gemelos franceses se estaban aproximando a mí; aliviado, decidí dejar la meditación para otra ocasión y me levanté del banco para saludarlos.

—¿En qué andan?

—Lucas encontró un cementerio —respondió, Claude.

—¿Con tumbas y eso? —estaba confundido.

—¿Qué otro tipo de cementerio conoces tú? —respondieron, casi molestos.

—Es que parece tan ilógico... En fin... ¿Y qué tal? ¿Encontraron a alguien conocido? —traté de sonar chistoso, pero el tiro me salió por la culata cuando vi que ambos asintieron con la cabeza.

—Nuestros padres están ahí.

Andor se me hacía cada vez más absurdo y oscuro. Los seguí vacilante hasta que llegamos a la entrada de un jardín decorado con rosas blancas. En el interior pasamos por un arco de boj y entramos a un campo que parecía tener infinidad de kilómetros de grama, con miles y miles de tumbas distribuidas en hileras. Estaban clasificadas por continentes y países. Cada zona tenía una valla de madera con el nombre de la nacionalidad. Pasamos por debajo de la valla de Europa y nos acercamos a una tumba ubicada en la sección francesa, en la décima fila del lado izquierdo; tenía unas letras inscritas en piedra: *Louise y Geraldine Pouline. Amados padres que siempre estuvieron y estarán en la luz.* Leer aquel epitafio me revolvió el estómago. Lo que menos necesitaba era estar en un cementerio.

—Ahora sí estoy seguro de que maté a papá y a mamá

—Claude rompió a llorar.

—Él iba manejando, yo iba de copiloto y nuestros padres iban en el asiento de atrás —comenzó a explicarme Lucas.

— ¿Cómo están tan seguros de que esto es real?

—Lucas le escribió una carta a la directiva de Andor, preguntándoles si nuestros padres también habían llegado a la estación, y nos contestaron que ellos sí habían fallecido en el accidente y que los podíamos venir a visitar en el cementerio.

—¿Entonces cómo es que sus cuerpos están aquí si murieron? Pensé que la gente que fallecía se iba a otro túnel — dije.

—Claro, ellos están en otro túnel. Pero este cementerio es una réplica que contiene todas las tumbas del mundo.

—¿Réplica?

—No hay más que tierra debajo de esas lápidas.

—Eso dijo mi guía —contestó Claude, como si estuviera convencido de que lo que decía era totalmente coherente.

¿Una réplica que contiene todos los cementerios del mundo? Tierras que literalmente solo son símbolo de muerte. Qué carajo. Decidí hacer una prueba. Les di un abrazo y me largué para que tuvieran privacidad. Caminé de regreso a la librería, conteniendo las ganas de vomitar. Desde afuera vi que Takeshi seguía hablando con Indira en la misma mesita. Él hizo una seña para que entrara pero me hice el loco y me fui rápidamente hacia el hotel. Pedí otro mapa de Andor en el kiosco de atención especializada y busqué el cementerio. Es verdad, ahí estaba. ¿Cómo es que no lo había visto antes? Subí a la habitación y busqué el mapa que había agarrado para ver el lago en donde iba a encontrarme con Donatella. No estaba el cementerio. Volví a ver el otro mapa y vi que no estaban ni el bosque ni el lago en donde yo había estado con Dona. Los únicos lugares que ambos mapas tenían en común eran el hotel, el laberinto, la librería y las dos plazas que están atravesadas cuando uno va de un lugar a otro. Takeshi entró en la habitación y se metió al baño.

—Necesito preguntarte algo —le toqué la puerta.

—¿Puedo hacer mis necesidades en paz? —respondió molesto.

—¿Quién construyó Andor?

—Kazuki, le pido que respete mi privacidad. Conversaremos cuando salga.

—¿Quién es el tipo que me interrogó hoy? —insistí.

Como no hubo respuesta, me senté en el sofá a esperar. Quería contarle a Dona lo que estaba pensando. Seguramente ella también había notado algo extraño en algún momento. Aproveché la tardanza de Takeshi en el baño y me preparé dos sandwich de queso Gouda aplastados en la *sandwich maker*. Mientras comía, me puse a ver el periódico *Andor´s News* que encontré envuelto en una bolsa plástica transparente. Era como el cuerpo de sociales de cualquier periódico; no había otro tipo de noticia, solo fotos y comentarios sobre la fiesta de recepción y la cena formal. Sorpresivamente, encontré una foto bien nítida de Kai y yo en la entrada del jardín comiendo puerco. Menos mal que no había ninguna imagen que evidenciara algo de lo que podía arrepentirme. La mayoría de las fotografías era de personas que ni había visto y que tampoco me interesaba conocer. Había una foto de Donatella con otras dos chicas, ambas rubias y muy altas y flacas. Dona salía con los labios fruncidos, como si le estuviera lanzando un beso a alguien, y el par de rubias aparecían sacando la lengua y haciendo el signo de la paz con los dedos. Detrás de ellas había una fuente de agua que tenía bolas de fuego y unas bandejas con botellas. Los franceses salían atravesados en varias fotos, como si en el último momento se hubieran lanzado frente a la cámara para causar gracia. No vi en ningún lado a Steve, tampoco a las asiáticas con las que ellos pasaron el resto de la noche. A Esmeralda la encontré en la esquina de una foto, besándose con equis tipo de pelo largo amarrado con una liga.

—¿Qué sucede? —Takeshi apareció en la cocina, con el cabello peinado hacia atrás. Los diminutos bigotes sobre los labios parecían más negros que antes. Se veía fresco y olía bien. Su uniforme estaba reluciente y sus zapatos más impecables que nunca.

—¿Y tú a dónde vas? ¿Tienes una cita?

—Esta noche hay reunión de padrinos —se sirvió un vaso de agua.

—¿Y qué van a hacer en esa reunión?

—¿Qué quería decirme? Veo que ya no está tan apurado.

—¿Es para bailar y comer, o es como un consejo de padres y representantes?

—Es un consejo de padrinos. Hablaremos de nuestros progresos con ustedes.

—Hmmm... Suena aburrido.

—¿Tan mala opinión tiene de usted mismo, Kazuki?

—Touché —él sonrió—. Takeshi, ¿desde cuándo conoces a Indira?

—Desde que llegué a Andor.

—¿Qué tanto conversabas con ella? Digo, parecía muy interesante el tema. Ni te movías cuando ella hablaba —Takeshi se vio incómodo cuando dije eso. Me lanzó una mirada densa y luego acomodó el picadillo de su pipa para encenderla.

—Siempre es agradable conversar con viejos amigos.

¿No lo cree? —hice un movimiento afirmativo. El humo que botaba por la boca no era blanco y no tenía ese olor a pino que había impregnado la habitación anteriormente. Ahora el humo se veía azulado y olía a sal, casi como una ola estrellándose contra una roca.

—¿Cómo funcionan estos mapas?

—Usted lo abre, busca el lugar al que quiere ir y luego utiliza la ruta dibujada para llegar a él —a veces me confundía el tono neutral con el que hablaba Takeshi: no podía diferenciar si estaba siendo sarcástico o qué coño. Saqué ambos mapas y los desplegué sobre la mesa de la sala para que viera a qué me estaba refiriendo. Él me lanzó una mirada extensa—. Uno de esos mapas es de usted y el otro no, ¿correcto?

—¿Cómo sabes?

—Cada quien va construyendo su mundo dentro de Andor, Kazuki. Imagino que usted encontró ese lago y ese bosque, ¿no es así? Si no hubiera sido por otras personas, usted no hubiera ido al cementerio, ¿me equivoco?

—¿Se supone que debería saber esto?

—Debo admitir que no tardó mucho en descubrirlo, pero eventualmente todos terminan por saberlo. He ahí la dificultad de Andor.

—¿Cómo es eso? —me acerqué más a él.

—¡Pero mire la hora! Kazuki, debo dirigirme a la reunión de padrinos.

Ni siquiera pude reaccionar. Quedé mirando la pared

como un idiota, mientras Takeshi se me iba de entre las manos.

IX

Toqué la puerta de la habitación de Donatella, golpeando los nudillos contra la madera, una y otra vez, hasta que escuché un grito lejano colarse por la ranura. Pidió que esperara un momento porque se estaba terminando de vestir. No recordaba cuándo había sido la última vez que me había sentido tan inquieto. Dona abrió un poco la puerta y asomó la cabeza envuelta en una toalla mojada. Sus mejillas estaban ruborizadas al igual que su boca. Esta vez tenía los ojos verde claro. Subió las cejas esperando a que le explicara qué hacía ahí.

—Acompáñame a la casa del bosque.

—¿Ah? —se quitó la toalla y su cabello húmedo cayó sobre los hombros cubiertos por una bata—. ¿Para qué?

—Te explico caminando hacia allá... Vamos, por favor.

—Dame un segundo —dejó la puerta entreabierta. Al par de minutos salió con una camisa vaporosa, un pantalón y unas botas de cuero. Trancó la puerta de la habitación y se dirigió hacia el ascensor sin verme. Yo sí la observé desde atrás. Sus curvas, su cabello perfumado y limpio cubriéndole media espalda.

—¿Cómo estás? ¿Has podido dormir? —traté de sonar amable.

—¿Puedo saber qué está pasando? —llegamos al hall y me siguió hasta la entrada del hotel. Su mano rozó mi brazo y perdí la concentración. Quería agarrársela y halar su cuerpo hacia mí—. ¿Edgar?

—Solo sígueme. Ya te voy a explicar —no quería que se arrepintiera de acompañarme.

—Estás actuando como un loco.

No le respondí. Ella permaneció en un silencio rígido, casi forzado. Salimos al jardín del hotel, pasamos el laberinto a un lado y luego caminamos metros y metros de grama y bosque. La escuché quejarse de los mosquitos y de la tierra en sus botas. Las antorchas estaban apagadas, el sol se filtraba entre algunos pinos y se vertía sobre las hojas de los árboles. Por ratos solo se escuchaba mi respiración de asmático; ella me observaba impaciente y luego se volteaba. Parecía estresada por mi falta de comunicación, pero se mantuvo contenida hasta que llegamos a la casa deteriorada.

—Me estás asustando —dijo de golpe.

—¿Cómo sabías que esta casa existía? —me mantuve de pie.

—Te dije que la vi en el mapa.

91

—¿Cómo es que yo no la vi?

—Porque no viste el mapa —cruzó los brazos.

—Sí vi el mapa, el mismo que usé para saber en dónde carajo quedaba el lago en donde se suponía que nos íbamos a encontrar.

—Bueno, quizás no te fijaste bien —parecía cada vez más intranquila.

—¿Viste que hay un cementerio en Andor?

—No. ¿Tú fuiste a un cementerio? —preguntó aturdida, señalándome con el dedo índice.

—Sí, pero no estaba en mi mapa. Fui para acompañar a los gemelos franceses —su mirada iba y venía a toda velocidad. Sus ojos se posaban en mí, luego en la casa, luego en el lago, luego volvía a verme—. ¿Qué ves desde la ventana de tu habitación?

—Unos viñedos, ¿por qué?

—Yo veo una playa, y ni siquiera tiene el mar azul, sino plateado. Nuestras habitaciones están en el mismo piso, en el mismo lado del pasillo, así que deberían tener la misma vista, ¿no crees? —pausé y pensé en otra pregunta para probar mi teoría—. ¿Por qué tu nevera está abarrotada de sushi y la de Kai solo tiene salchichas y vainas alemanas?

—¿Quién es Kai? —preguntó, golpeándome con su voz. Me rasqué la cabeza y luego los ojos. Pensé que mejor iba directo al grano—. Quiero que intentes abrir esta puerta —me vio como un animal inquieto—. No va a pasar nada. Es de día y yo estoy contigo.

—No entiendo qué estás queriendo decirme con todo esto.

— ¿Te has preguntado siquiera en dónde estamos?

—Bueno, nadie le dice a uno qué va a pasar cuando te mueres.

—¡Pero no estamos muertos!

—¿Cómo sabes?

Ella tenía un punto a su favor. Realmente no podía saberlo. Yo intenté suicidarme. Yo debería estar muerto.

—Ok, ¿qué pasa con los padres de los gemelos franceses? La directiva de Andor les dijo que sus padres sí murieron y que podían ser visitados en el cementerio que, supuestamente, no es real sino una réplica —Donatella parecía más perturbada que yo. Tenía ganas de abrazarla, pero me mantuve tieso en mi puesto—. Te tengo una propuesta. Abre la puerta de la casa —me miró molesta—. Si no la puedes abrir te doy la razón y nos olvidamos de todo esto.

Dona volteó los ojos y se acercó a la puerta con un fastidio tan grande que me sentí abochornado. Me miró, levantó las cejas y agarró el picaporte.

—Está cerrada con llave.

—¿En dónde crees que esté la llave?

—¿Qué voy a saber yo? ¡Es tu casa! ¡Tú la cerraste con llave! Ahora sí suenas como un loco.

—¿Quién vive ahí?

—¡No sé, Edgar! ¡Estás actuando como un demente!

—¿A quién hubieras querido encerrar cuando estabas viva? ¿Nadie? —sentí un leve placer al levantarle la voz. Donatella se sentó en los escalones y recostó la cabeza sobre sus manos, como si intentara darme un chance y pensar lo que le estaba preguntando. Yo me senté a su lado y le hice cariños en la espalda. Quedamos en silencio varios minutos—. ¿En quién estás pensando? —me miró avergonzada.

—En la esposa de mi papá.

El hecho de que Dona me respondiera hizo que quedara completamente espeluznado.

—Que no es tu mamá, ¿no? —pareció ofendida—. Perdón, quería asegurarme.

—Edgar, ¿estás entendiendo? —la miré desorientado—. Estás diciendo que encerré a la esposa de mi papá en esta casa.

—No a ella. A su réplica.

—Claro, porque eso lo hace más lógico.

Quería que Dona entendiera lo que le estaba diciendo y que estuviera de acuerdo conmigo. Pero hasta que ella no viera algo que sirviera de evidencia, no iba a cambiar de opinión. Era más terca que yo.

—Esa llave la tienes tú —dije, casi resignado. Me asomé de nuevo en la ventana, esperando que la señora apareciera para mostrársela a Donatella.

—¿Cómo es la esposa de tu papá?

—Bajita —respondió después de un largo silencio. No quise indagar más. Tenía que buscar alguna forma de hacerla abrir esa casa.

Caminé unos metros hasta la cabaña, esperando encontrar algo útil, pero no estaba sino abarrotada de troncos de madera. Llamé a Dona y nos acercamos al muelle. Le agarré la mano y le di un beso en su puño cerrado. Ella sonrió pero siguió igual de alterada que antes. Así como yo me sentía seguro de lo que pensaba, ella también parecía estar determinada a creer que me estaba volviendo loco. Eso me desanimó. Se alejó un poco de mí, así que le di espacio. Quería fumarme algo, lo que fuera. Recogí algunas piedras que estuvieran planas y lisas, y las comencé a lanzar una por una en el agua. No todas rebotaron, pero la última rebotó ocho veces. Al terminar me acerqué a la parte trasera de la casa, deseando que algo ocurriera.

Tras unos minutos de absoluta calma, creí ver una luz detrás de la ventana empañada de sucio. Me acerqué sin hacer ruido, pegué la cara y no vi nada, pero ahora el lugar parecía totalmente oscuro. Donatella ya se estaba devolviendo del lago cuando volvió a prenderse y a apagarse una luz dentro del cuarto. Me dio un vuelco el corazón y me alejé rápidamente. Tenía la impresión de que la persona que estaba ahí adentro sabía que alguien la estaba espiando. Me cagué y le agarré la mano a Dona.

—Definitivamente hay alguien, vi que se prendió una luz.

Nos acercamos gateando a la ventana y nos asomamos detrás del marco. Donatella pegó la oreja del vidrio, mientras yo intentaba ver algo detrás de la capa de polvo. Parecía ser una biblioteca totalmente descuidada y desbaratada. Había decenas de cajas de zapatos vacías y abiertas, bolsas con cosas sin abrir tiradas en el piso y amontonadas unas encimas de otras, libros sobre sofás cubiertos con sábanas. Dona parecía avergonzada ante el chiquero que estábamos viendo, casi como si se tratara de la sala de su casa. Más allá había algo que parecía una máquina de hacer ejercicio, pero estaba saturada de periódicos y de botellas de whisky vacías. No importaba en dónde pusiera la mirada, no había un espacio exento de alguna cochinada. Agarré unas piedras grandes que estaban alrededor de la cabaña y las puse una sobre otra, para encaramarme en la parte superior de la ventana y tener una mejor vista. Dona me preguntó si podía ver qué había del otro lado de la puerta de la biblioteca, pero me estaba tapando parte del marco; justo cuando iba a poner los pies de punta, se escuchó como si alguien hubiera tirado una puerta y, antes de que se desvaneciera el eco, la voz de una mujer se convirtió en un grito escalofriante.

—¡CÓMPRAME VODKA YA!

Donatella me agarró del brazo y me haló. Casi nos caemos por las escaleras cuando comenzamos a correr hacia el hotel. Sentí que el corazón se me había salido del cuerpo, y que el que estaba corriendo por mí era una capa de pellejo con ropa. Dona estaba tan aterrorizada como yo. Ni siquiera nos atrevimos a mirar hacia atrás, hasta que llegamos al hall del hotel.

—¿Qué coño fue eso? —no controlé mi tono de voz.

96

—Es ella —dijo sin dudar.

—¡Qué coño fue eso! Nunca me había asustado tanto en toda mi vida, y mira que de donde vengo no se juega carritos.

Dona estaba callada y caminaba de un lado a otro, sin quitarse las manos de la cabeza. Parecía fuera de sí misma y tenía los ojos marrones, ni verdes, ni azules. Su mirada era oscura y confusa. Le dije que nos sentáramos un momento en la barra. Ya no me atrevía a preguntarle nada más, ni a moverme de mi puesto, así que permanecí sentado esperando a que ella reaccionara de su estado de enajenación.

—Quizás no quiero encontrar esa llave.

X

Donatella me dijo que quería pasar el resto del día sola. Preparé un sánduche y me eché en el sofá a ver la playa. No tenía ganas de salir del cuarto. De pronto todo comenzó a darme fastidio. No quería hacer nada. Dormí un rato y luego registré los libros que estaban ahí. Ninguno que ya no hubiera leído. Me tomé como tres galones de agua y volví a recostarme en el sofá. De pronto se abrió la puerta.

—Ya era hora. ¿Qué tal la fiesta de los padrinos? —me reí, pero cuando le vi la cara a Takeshi me dejó de parecer cómico. Parecía extrañado de encontrarme en la habitación.

—Como siempre. Al parecer todas las personas, sin importar el año en que llegan y la edad que tienen, siempre traen los mismos problemas.

—¿Sexo, drogas y alcohol? —Takeshi me miró como si yo fuera un caso triste y se quitó la chaqueta para colgarla en el perchero—. ¿Quieres tomar algo? —le ofrecí mientras me servía un vodka, ya decidido a no hacer más chistes.

—Ama-sake sin hielo, por favor —le pasé su trago y se sentó en el sofá—.Yo me considero más un hombre de montaña que de playa.

—A mí me gusta la playa. Supongo que me recuerda a mi papá. Él siempre me llevaba cuando era niño —Takeshi se dedicó a observar sus zapatos.

—¿Su mamá no participaba en estos viajes a la playa?

—No —volví a girar mi cuerpo y me perdí en las olas. Me gustaba ver la espuma. Podía sentir el agua fría. Me tranquilizaba —. No estamos muertos, ¿verdad? —pregunté sin voltear, para cambiar el tema.

—Asumo que no compartimos la misma concepción sobre la muerte.

—No me vengas con esa vaina. Uno está muerto o uno está vivo.

—Kazuki, me disculpo —se tomó el último trago de su bebida y se levantó del sofá.

—Perdón, no te vayas —esperó a que yo siguiera hablando—. Estoy desesperado.

—Kazuki, usted está a un paso de la vida y a un paso de la muerte. Solo tiene que tomar una decisión —sonrió y dejó el vaso sobre la barra en la cocina—. Si me lo permite, me pondré un uniforme más cómodo.

Mientras Takeshi se cambiaba en el baño, me quedé pensando en lo que había dicho. Tomé el resto del vodka y dejé el vaso en la mesa de la sala.

—¿Quiere hacer algo particular esta tarde? —preguntó, una vez mudado de ropa.

—Siempre he podido elegir si vivir o morir.

Takeshi me lanzó una mirada punzante y volvió a cambiar el tema.

—¿Alguna vez ha montado a caballo?

—Hace siglos.

—¿Le apetece?

—Bueno... —hice una mueca de indiferencia—. Por qué no.

Cuando Takeshi abrió la puerta de la habitación, tropezamos con un marinero que tenía una carta en la mano. Una vez que la entregó, desapareció de la puerta.

—¿A qué coño están invitándome ahora?

—No se exprese así, Kazuki. No es culpa de la directiva de Andor que usted haya intentado suicidarse en la época más festiva del año.

Estimado Sr. Edgar Enrique Crane,

Por medio de la presente se le notifica que usted ha sido invitado al Baile de Máscaras para celebrar que pronto llegará el año nuevo.

Hora: 7:00 pm

Gracias por contar con nosotros, porque Andor es para usted,

Atentamente,

Claudia Ajena

Tiré la carta sobre la mesa de la cocina y salimos hacia el establo. Un marinero me ayudó a escoger mi caballo; el que agarré era gris y no tenía nombre. Takeshi eligió uno negro y brillante y también era anónimo. Decidí llamarlos Anónimo I y Anónimo II. Los tomamos de las cuerdas y caminamos hacia un lugar campestre y vacío. La grama parecía una gran alfombra de golf. Takeshi se montó elegantemente en su caballo, sin perder la postura. Yo tuve ciertos problemas para subirme y mantenerme derecho. Sentía que el animal iba a hacer de las suyas en cualquier momento y yo iba a caerme como el propio idiota, pero no dije nada. Anónimo I galopaba despacio, parecía tan asustado como yo. Takeshi se mantenía serio, pero yo sé que se estaba riendo en su interior. El cielo se veía naranja y la temperatura del ambiente era agradable. De vez en cuando nos pasaban mariposas negras a un lado. Yo permanecía atormentado, pensando en qué estaría haciendo Donatella, y queriendo que ella estuviera montada conmigo en ese caballo. La imaginé cabalgando desnuda, sentada frente a mí. Pude ver su espalda descubierta, su lunar, sus caderas pronunciadas y su cabello cenizo acariciándole los hombros.

—Hermosa tarde —suspiró Takeshi, mientras yo imaginaba a Dona, su mirada extasiada por el roce del caballo entre sus piernas—. Nada como ir a dar un paseo —sus pies dando brincos al compás del galope y sus manos aferradas a mí—. Kazuki está muy callado esta tarde —quizás si iba a su habitación al terminar el paseo, podía invitarla a cenar o algo, y hablar con ella—. Veo que Kazuki tiene muchas cosas en mente.

—¿Qué decías? —caí en cuenta de que Takeshi

llevaba rato hablando y de que yo estaba atrapado en una triste fantasía que rayaba en la zoofilia. Pareció molesto ante mi falta de interés y permaneció callado por un rato.

El sol estaba escondiéndose detrás de la montaña que había visto desde la ventana de la librería. A veces parecía pixelado y otras veces fuera de foco, pero por lo menos iluminaba. Seguimos paseando con Anónimo I y Anónimo II hasta las seis de la tarde; a esa hora volvimos al hotel. Takeshi sugirió que aprovecháramos el buffet de esa noche, así que nos quedamos a cenar en la planta baja. Comí un buen plato de spaghetti alla carbonara. La textura de la pasta y de la salsa estaba en su punto. Separé algunas tocinetas crujientes y saladas para comerlas al final. Tomé una copa de vino tinto; excelente también. Takeshi tomaba una sopa de cebolla que se veía muy buena. La capa de queso tostado la hacía parecer una crème brûlée salada. Y, por supuesto, bebía su bendito sake.

—¿Nunca tomas otra cosa?

—Me gusta el sake.

—No tengo duda de eso, pero, ¿a veces no te provoca variar?

—¿A Kazuki le provoca variar?

—¿Variar qué?

—No lo sé, ¿variar qué?

—A veces no te soporto.

Me callé y seguí comiendo. De pronto observé que Esmeralda pasó a un lado, con su típico meneado de caderas que, debo decir, cada vez iba perfeccionando más. Se acercó a la mesa del buffet y se sirvió un plato de ensalada. Luego tomó asiento con un grupo de viejitas que estaban jugando dominó. Ella notó que yo la estaba mirando, pero siguió comiendo como si nada, disfrutando el hecho de ignorarme.

—¿Cuándo es la fiesta?

—Mañana en la noche.

—¿Se supone que tengo que usar una máscara?

—Por supuesto —respondió Takeshi, casi ofendido.

—No tengo y no quiero.

—No se preocupe, en la entrada de la fiesta habrá una cesta llena de máscaras. Usted podrá escoger la suya. Todo el mundo tendrá la cara cubierta.

Ni que fuera una sinagoga a la que no podemos entrar sin la kippah. Cuando terminé mi pasta, Takeshi se disculpó y se arrimó a una mesa en donde estaba Indira junto a otras personas. Cada una parecía más rara que la otra: el que estaba en la cabecera era un señor cincuentón, con un sombrero de copa morado, rasgos africanos, que tenía los dientes volados y muy blancos. A su lado había unas mujeres asiáticas con tan poco labio que era como si ninguna de ellas tuviera boca. Para colmo, se reían de todo. En la esquina de ese lado de la mesa había un niño gordito y pálido con unos lentes amarillos más grandes que su cabeza. Frente a él estaba sentado el australiano.

—¿Steve? —pregunté, acercándome a su puesto.

103

—¡Amigo! ¡Tiempo sinerte! —respondió, levantándose de la mesa para darme el abrazo más amistoso que había recibido hasta entonces.

—¿Cuándo te uniste al club? —solté una risa incómoda.

—Oh, sonsimpáticos, mumpáticos —dijo, sobándose la barba pelirroja.

—¿Quiénes son?

—Nosépe... simpre mesiento con ellos enlacena. Hay... cerca de las personas que te hacensentirbien, ¿... crees? —lo miré, sin moverme. A veces se me hacía difícil entender lo que decía con ese acento australiano tan marcado. Era como escuchar una oración con todas las palabras pegadas y con ondas de sonido extra—. ¡Bueno verte! —me dio otro abrazo y volvió a sentarse.

Regresé a mi mesa, pero ya la habían ocupado unos niños guiados por un marinero que tenía un delantal manchado de pintura. Pobre tipo. Cada carajito tenía una cesta llena de acuarelas y potecitos de plastilina. No eran sino una fuente de ruido, llanto y mocos.

—¡Edgar! —juro que se me erizó el cuello cuando escuché aquella voz de guacharaca. Me hice el sordo y seguí caminando, cada vez más rápido, hacia el ascensor—. ¡Edgar! —volvió a gritar, pero esta vez en mi oído, y además, me dio un pellizco en la nalga—. Ay, qué nalguita tan rica —estalló en una risa muy desagradable—. ¿Alguien te había dicho que tienes el cuerpo perfecto? Espero encontrarte mañana en la fiesta —dijo, metiéndome un mechón de pollina detrás de la oreja. Me quité su mano de encima y eché mi pelo hacia atrás—. Amo tu cabello... No se sabe si es castaño o si es negro —

trató de acariciarme de nuevo.

—Mira, tengo que irme.

—Siempre tienes que irte, estoy comenzando a fastidiarme.

Subí los hombros y entré rápidamente en el ascensor. Cuando se cerraron las puertas me sentí a salvo. Una vez en la habitación, decidí bañarme y ponerme decente. La afeitadora que había usado el primer día ya no estaba, así que saqué una nueva de la gaveta. Al final decidí dejarme la barba, pero le di un poco de forma quitándome las islas de pelo que sobraban en el cuello. Esta vez me molestó que la espuma de afeitar fuera particularmente rosada, sentí que tenía un chicle esparcido alrededor de mi boca. Yo había visto un documental que decía que muchos manicomios tenían habitaciones rosadas porque ayudaban a los internos a ser menos agresivos, pero creo que el efecto de ese color actuaba de modo diferente en mí. Cuando lavé mi cara noté que tenía una cortada debajo de la barbilla. Qué verga. Me puse un pedazo de papel tualé para detener el sangrado y me vestí.

El diario de Dona ya llevaba mucho tiempo en la silla frente a mi cama, así que lo agarré y lo cambié de lugar. Quería hacerle honor y escribir algo, pero realmente no me salía nada que no demostrara que estaba de pésimo humor. Me asomé en la ventana tratando de distraerme y lo único que logré fue agravar mi sentimiento de inutilidad. Me puse los zapatos y salí de la habitación. La saludaría y luego la dejaría en paz. Toqué la puerta de su cuarto tres veces y me distancié del umbral. Crucé los brazos y esperé unos segundos antes de volver a tocar. Después de que me comenzaran a sudar las manos por los nervios, una mujer negra y gruesa abrió la puerta.

—¿Te puedo ayudar en algo? —habló en inglés, con un acento sureño y antipático.

—¿Está Donatella?

—¿Donatella? —apretó sus labios carnosos—. No, no hay ninguna Donatella en esta habitación.

—Estoy seguro de que aquí se está quedando una Donatella.

—Disculpa, hijo —me trancó la puerta en la cara.

Decidí buscarla en la planta baja. Me quité el papelito ensangrentado de la cara y lo boté en la ranura cuando se abrieron las puertas del ascensor. Eché un vistazo en el hall, en el bar y en el comedor. Ahí la encontré: comiendo pasticho. Picó un trozo con el tenedor y lo sopló antes de metérselo en la boca. Parecía más serena. Estaba sentada en una mesa pequeña con dos sillas.

—¿Cómo sigues? —le pregunté cálidamente.

—¡Edgar!, ¿qué haces aquí? —parecía horrorizada por mi presencia.

—Quería ver cómo estabas.

—Bien, bien —miró hacia el buffet de comida con nerviosismo.

—¿Puedo acompañarte? —traté de seguirle la mirada para ver si entendía qué ocurría. Pareció no escuchar mi pregunta. Se metió un bocado enorme y tragó casi sin masticar—. ¿Estás bien?

—Sí, sí, todo bien. ¿Qué te parece si voy a tu cuarto

106

cuando termine de comer?

—¿Pasa algo?

—No, no, no. ¡Ya voy a tu cuarto! —hizo un gesto con la mano, como para que me fuera de ahí. Me sentí rechazado y paranoico. Qué carajo le pasaba ahora.

Estaba tan incómodo por tu actitud, que preferí irme a la habitación para estar solo. Ya aparecería y explicaría qué tenía. Tomé su diario y decidí dibujarla. La dibujé con los ojos grandes y con muchas pestañas. La dibuje con el cabello largo y alborotado. La dibujé sonreída y con las orejas escondidas. La dibujé hasta quedar dormido.

Pensé que mi obsesión por Donatella había hecho que alucinara su voz. Luego me di cuenta de que sí era ella la que hablaba en el pasillo. Abrí la puerta cautelosamente y me asomé sin salir del cuarto. Dona estaba con un hombre frente al ascensor. El tipo era canoso y más alto que yo. No lograba verle la cara, pero escuchaba su voz: era grave y segura, con un timbre poco resonante. Decían algo sobre la carne o sobre el hambre. No sé, pero ella se reía de todo. Parecía encantada. Comenzaron a caminar agarrados de mano. Sentí náuseas. Los seguí sin que me vieran. A medida que avanzaban, yo iba tragándome la estela de la colonia del tipo: recordaba al olor de los aeropuertos. Se detuvieron frente a la habitación de Dona. En ese momento decidí irme. No quise ver más. No pude. Me agarré el pelo y lo halé para tratar de controlarme. Corrí a mi habitación. Tranqué la puerta de golpe. Le di un coñazo al mueble de los libros y todas las repisas se desplomaron sobre el sofá, logrando que con el estruendo me terminara de explotar el cerebro. Hasta ahí llegué: lancé su diario por la ventana. Cayó cerca de la orilla del mar. Fui a la cocina para agarrar el vodka y tomar directo de la botella como un desgraciado.

Esta vez sí me lancé por la ventana, pero no caí en la arena. Volé hasta sumergirme de clavado en el vodka. Tragué y tragué hasta inflarme como una bola roja. Decidí que finalmente era momento de unirme al sistema solar, así que me convertí en el nuevo Plutón. Bien lejos de todos. Me alejé de la estrella Donatella. Me ardía la garganta. Las cuerdas vocales ya estaban guindando de mi boca, así que las escupí. No quería seguir teniendo una voz. Ya no la necesitaba. Me desinflé y caí de nuevo en el agua. Comencé a tragar más. No podía parar. No podía cerrar la boca. Me estaba ahogando. Cerré los ojos. Dejé que mi cuerpo se hundiera hasta el fondo, hasta que me atrapara una ostra y me convirtiera en un pegoste.

—¡Reacciona! —el mar se volteó, me hizo caer en el cielo. Me asomé: ahí estaba Dona. Ella me buscaba desde la tierra. Esperaba que la viera desde las alturas—. ¿Me escuchas? —mi boca comenzó a destilar el vodka sobre su boca. Gota por gota fueron cayendo en sus labios, como una lluvia alcohólica. Una mano canosa le cerró los labios y se la llevó en el bolsillo de su chaqueta—. ¡Edgar!

Un pie aplastó a la mano canosa y comenzó a teclear mis ojos. Quería abrírmelos, pero yo no me dejaba. No iba a permitir que me obligaran a ver. Yo no quería ver. No había nada para ver.

—Kazuki, le voy a meter el dedo en la boca y usted va a vomitar. No intente controlarse.

Volvió a aparecer la mano. Ya no era canosa. Abrió mi boca y se metió para sostenerse de mi campana y lanzarse como si fuera una liana. Mi estómago se contrajo y escupí la mano en el agujero negro.

—Creo que bebió mucho —una mano pequeña me estaba sobando la espalda. No paraba de salir vómito por mi boca. Sentía la garganta ácida y la lengua cubierta de residuos calientes—. Tranquilo, todo está bien. Te voy a traer un vaso de agua.

—Kazuki, ¿cómo se siente? Respire profundo.

Escuchaba dos voces distintas. Me dieron un vaso de agua, enjuagué mi boca y escupí todo en la poceta. Alguien pasó un paño húmedo por mis labios y me secaron los ojos.

—Kazuki, ¿puede levantarse?

Me ayudaron a levantarme y me senté en el sofá de la sala. Pedí que apagaran las luces, así que dejaron encendida únicamente la de la entrada.

—¿Cómo se siente? Me quedé callado, observando a Takeshi sentado frente a mí.

—¿Te provoca un caldito?

—¿Qué haces aquí? —le pregunté a Donatella.

—Te voy a hacer un caldo —se alejó de mí y se fue a la cocina.

—¿Puedo saber qué le pasó? —preguntó Takeshi.

—Nada.

—Ya veo —cruzó las piernas—. No le hace bien tomar de esa forma.

—¿De qué forma?

—No se ponga necio conmigo. Estoy aquí para ayudarle —vi la perfecta figura de Dona condimentando un líquido humeante dentro de una olla. Volteó para verme y sonrió. Se me revolvieron los órganos. Quería desaparecerla de mi cuarto—. ¿Cómo se siente?

—No sé... Estoy mareado —respondí.

—Cuando coma se sentirá mejor.

Eché la cabeza hacia atrás y cerré los ojos. Estaba harto. No había forma de acabar conmigo mismo. Takeshi se levantó y fue a la cocina. La tensión de mi cuello no bajaba la guardia.

—Abra la boca, Kazuki —dijo, antes de meterme un pedazo de chocolate. Sentí náuseas de nuevo, pero antes de que lo pensara dos veces, ya me había tragado el chocolate y ya me había comenzado a sentir mejor—. Ya vuelvo. Voy a traerle algo de cenar.

—¿Para qué? —miré a Donatella.

—No es bueno acostarse a dormir con el estómago vacío, Kazuki.

Takeshi se colocó su chaqueta y desapareció de la habitación. No entendí por qué estaba ignorando a Donatella y su sopa, pero volví a recostar la cabeza y cerré los ojos. Ella sentó a mi lado con la bandeja e intentó darme de comer como a un enfermo.

—Yo puedo, gracias.

—Déjame cuidarte.

—¿De dónde salió la sopa? —pregunté molesto.

—Ahí hay millones de latas Campbell —señaló el mueble sobre la nevera.

Le quité la cuchara de la mano y la puse en la bandeja.

—Yo puedo —tomé directo del plato.

—Cuidado, está muy caliente.

—Deja de ser tan amable conmigo.

Puse el plato en la bandeja y la miré.

—No entiendo.

—¿Qué no entiendes? —pregunté.

—Estás agresivo.

—¿Y?

—Edgar... ¿qué te pasa? —dijo frustrada.

—No tengo ganas de hablar.

—No me gusta que me trates así.

Se levantó del sofá.

—A mí tampoco me gusta que me traten mal.

—¿Qué se supone que quieres decir con eso? —preguntó.

—Tú deberías saberlo.

—¿Saber qué?

—Yo soy el que debería estar molesto.

—¿Qué? —subió el tono de voz. Se quitó la cola del cabello bruscamente, se peinó con los dedos y lo volvió a recoger.

—No tengo ganas de hablar.

—¿Me estás castigando por haber querido pasar el resto del día sola?

—¿Sola? —me quité la bandeja de encima y me paré frente a ella. En ese momento vi a Dona muy pequeña. La vi como una niña frágil. Quería meterla en una jaula y que fuera solo mía. Me volví a marear y perdí el equilibro.

—Te vas a caer.

—¿Me estás diciendo borracho?

—Te estoy diciendo que te vas a caer —me dio la mano y me ayudó a sentar de nuevo—. No entiendo, se supone que la afectada aquí soy yo.

—¿Por qué tú estarías afectada?

—¿Será porque escuché a esa tipa gritarle a mi papá que le trajera su vodka del carajo?

En ese momento se echó a llorar y a mí se me derrumbó el mundo. Ella se dejó abrazar y le hice cariños en el pelo, sin poder evitarlo. Yo no entendía nada. Dona actuaba como si nunca hubiera estado con otro hombre en Andor, como si ella realmente hubiera pasado el resto del día sola. Parecía desconsolada. Incluso llorando se veía hermosa. Le di un beso en la frente y la acerqué a mi pecho. Ella levantó la mirada y la dejó recostada sobre la mía.

—¿Podemos desayunar juntos mañana? —se le agrandaron los ojos—. Quiero mostrarte algo.

XI

Donatella y yo nos encontramos en la salida de los ascensores para ir a desayunar. Comimos panquecas con mantequilla y miel. A un lado del plato había fresas rebanadas. Dona se tomó un té con leche y yo un café negro. La comida ayudó a que se me pasara la resaca. Estaba un poco inhibido, no me sentía con ganas de hablar; seguía con el mal sabor de la noche anterior. Dona me observaba inexpresivamente y luego se concentraba en su taza de té. Permanecimos en silencio hasta que ella rompió el hielo de la forma menos predecible.

—Me gustan tus ojos. No son de un verde común, ¿sabes? —se levantó de la silla y acercó su cara a la mía. Las puntas de nuestras narices casi se tocaron—. Tienes la mirada limpia y profunda —dijo, apoyándose de mis rodillas. Estar tan cerca de ella era como ponerme un abrigo de invierno. Le sonreí y me eché el cabello hacia atrás. Me estaban temblando las piernas; no podía recibir un elogio de su parte sin sentir que podía morir de vergüenza. Se me escapó una risa tonta y me limpié el sudor de las manos disimuladamente—. Quiero compartir algo contigo —se le borró la sonrisa y se levantó. Me tomó de la mano y me haló para que comenzáramos a caminar—. ¿Has escrito en el diario?

—Estuve dibujando —contesté, tratando de parecer casual.

—Ah, ¿en serio? ¿Qué dibujaste? —quedé callado. No sabía cómo decirle que había tirado el diario por la ventana. Tal y como si me hubieran pasado un suiche, mi mente fue arrasada por una ráfaga de mierda. Todo lo que pensaba se iba agrietando con el recuerdo del olor de aquel hombre. Quién era. Qué hacía con ella. Por qué lo estaba escondiendo de mí—. ¿Edgar?

Donatella se detuvo frente a mí, pero no la vi a ella. Éramos los celos y yo. Estaba viendo lo que no podía tener. Lo que nunca iba a ser mío. Lo que quería destruir para que me dejara en paz, para que yo pudiera volver a ser independiente. Prefería ser miserable por mí mismo que por alguien más. El efecto que ella causaba en mí era opuesto al de cualquier otra mujer. Cuando una mujer me veía, me sentía visto; cuando Dona me veía, me sentía fuera de control.

—Donatella... —suspiré agobiado—. No puedo hablar ahora.

Sospecho que me comporté como un cretino, pero es que no podía estar con ella. No podía tenerla cerca en ese momento. Necesitaba estar solo, o al menos con alguien a quien le pudiera gritar lo miserable que me sentía. Me largué.

—No puedo más —Takeshi bajó la taza y la mantuvo entre las manos mientras me observaba con sus diminutas pupilas. No pareció sorprendido al verme llegar tan exaltado—. ¡Mierda! Estoy... ¡harto! —puso la taza en la mesa—. ¿Sabes cuando no puedes contigo mismo? —cerró el periódico—. Bueno, ahora no puedo conmigo mismo —se rascó la ceja izquierda.

—Pensé que usted estaba desayunando.

—Sí, estaba desayunando —permaneció callado— ¡Takeshi!

—¿Kazuki?

—¡Te lo juro que... que...! ¡Mierda!

En ese momento creí que realmente estaba enloqueciendo. Me veía dispuesto a correr hasta el túnel de la muerte y lanzarme como si fuera un hidrotubo de un parque de diversiones. Hasta tenía ganas de golpear a Takeshi. No quería cargar con mi cuerpo, no quería ver a Donatella, no quería nada.

—Dígame, ¿en qué piensa?

—Ya vengo —dejé a Takeshi con la palabra en la boca.

Bajé al hall y busqué la salida a la playa. Tomaría el diario y se lo devolvería a Donatella. Le explicaría que prefería mantenerme distanciado de ella mientras estuviéramos en Andor. El salón estaba vigilado por marineros.

—Buenos días —esperé a que respondieran, pero ninguno dijo nada. Simplemente sonreían como si les prohibieran estar serios. Me acerqué a la puerta y escuché el sonido de las olas. Intenté abrirla y uno de los marinos pegó un brinco.

—Esto es área restringida, por favor, debo pedir que se retire.

—Voy a buscar algo... que se me cayó por la ventana.

—Lo siento, no puede pasar.

Me dejé caer en una poltrona del hall y miré alrededor hastiado de todo. Estaba descompensado, tratando de decidir si ya me había pasado un tren por encima, o si quería que me pasara uno. Había una chica sentada a unos pocos metros de distancia, que tenía un cigarro y un libro. Traté de leer el título. Sopló un cilindro de humo gris hacia el techo y se dio cuenta de que la estaba observando.

—*El oficio de vivir* —dijo la chica. Aunque me habló en inglés, podía notar que no era su primer idioma.

—¿Cómo? —quedé petrificado, como si me hubieran descubierto haciendo algo malo.

—Es el título del libro —aspiró por última vez el cigarro y luego lo estrelló contra el cenicero que estaba entre los dos.

—Perdón, es que no quería interrumpirte, pero...

—Ya lo hiciste.

—Yo sé, disculpa —movió las piernas de posición—. Solo me preguntaba si era posible que me regalaras un cigarro —sacó una caja rosada del bolsillo de su camisa y la abrió para que yo agarrara uno—. Gracias. Perdón, ¿tienes con qué encenderlo? —sacó un yesquero, rosado también, y me lo puso en la mano. Prendí el cigarro y se lo devolví—. ¿De dónde los sacaste? —señaló una cesta decorada con lazos rosados a cinco metros de donde estábamos sentados, llena de cajas y yesqueros—. De acuerdo, voy a desaparecer ahora —esa fue la primera vez que sonrió.

Decidí no abastecerme todavía, lo haría de vuelta a la habitación; con uno bastaba por el momento. Me senté en las escaleras del jardín, desde donde se veía una de las entradas al lago. El camino me llamaba para que lo recorriera, pero me daba fastidio levantarme. Ya me había convertido en una de esas personas que siempre están agotadas pero que nunca tienen sueño. Recordé la última vez que fumé en Caracas y mi humor se irritó aún más. Volví a aspirar y soplé el humo hacia un lado, para no impregnarme de olor a nicotina. ¿A dónde quería llevarme Donatella? En ese momento me volvió a perturbar el asunto de la casa y, obviamente, así de predecible soy, volví derechito al recuerdo del tipo canoso. Me mordí la lengua y de la rabia lancé el cigarro sobre el escalón en el que estaba sentado. Vi que un grupo de señoras estaba cargando unos arreglos florales. Detrás de ellas, había una fila de hombres musculosos llevando mesas y sillas sobre los hombros.

—¿Quieres ayudar, cariño? —eso me pasa por mirón. La doñita tenía un vestido enorme, naranja con flores amarillas, y cargaba con un sombrero de paja. La piel de su cara se veía extremadamente suave.

—Está bien —subí los hombros, ya me estaba pasando de patético.

—Ven, Catalina te dirá qué hacer —dijo, rodeándome con su brazo por la espalda.

—¿Quién es Catalina?

—¡Cata! ¡Aquí te mando a un caballero! —la señora me empujó a donde estaba la Catalina y me pusieron a cargar bandejas de frutas.

—No sé si sea buena idea.

—¿Por qué no?, ¿un hombre fuerte como tú?

—No tengo buen equilibrio, voy a llegar solo con la piña.

—¡Ay, pero qué adorable! ¿Lo escuchaste, Rosa?

—¡Adorable!

—Bueno, querido, ¿prefieres llevar sillas?

Monté dos sillas en mis hombros y las llevé a donde estaba el grupo que movilizaba mesas hacia la plaza. Entre ellos estaba uno de los gemelos franceses.

—Me alegra ver que a ti también te atraparon —me estrechó la mano.

—¿Y Lucas? —le pregunté.

—Por allá... cortando cintas con las señoras; tiene una herida en el pecho. Después de esto, nos deberían asegurar un buen puesto esta noche.

—Yo no quiero ir.

—¿Por qué? Va a haber buena comida y mucha bebida.

—Odio tener que disfrazarme.

—No hay que disfrazarse, solo tienes que tapar tu

cara —subió una ceja.

—Es lo mismo.

—No, es mejor —se agarró la punta del bigote—. Puedes hacer lo que quieras y nadie va a saber quién eres.

Me reí, le di una palmada en la espalda y volví al hotel antes de que me pidieran más favores. Cuando entré en la habitación noté que Takeshi no estaba. Me hice un sánduche, para variar, con jamón y mantequilla aplastado en la sartén, y un café. Arrimé la silla hacia la ventana y me senté a comer. El agua del mar estaba más oscura, más opaca. Había un par de gaviotas conversando sobre una roca y uno que otro cangrejo paseando cerca de la orilla. Terminé la comida y me asomé para ver si el diario seguía vivo. Mi vista barrió la playa de punta a punta y no encontró señales de su existencia. Agarré *La vuelta al mundo en 80 días*, y lo lancé por la ventana para ver dónde aterrizaba. El libro fue desapareciendo a medida que las olas se le lanzaban encima, hasta que quedó completamente cubierto. Lo único que quedó fue un bulto, como si fuera el cuerpo de un bebé enterrado en la arena.

—¡Edgar!, ¿qué te dije sobre los libros? —escuché su voz en mi cabeza. La busqué en la playa. Busqué su cabello rubio cenizo. Busqué sus ojos saltones. Busqué su cuerpo raquítico—. ¡Edgar Enrique Crane! —sentí el corazón en la boca. Me supo a leche rancia—. ¡Bernardo! —me sujeté del marco de la ventana. Busqué sus piernas largas y pálidas—. ¡Quítale el libro a tu hermano! —escuché su risa ácida y aguda. Su tos, su flema.

—Ed, dámelo —dijo mi hermano—. Ed, por favor, antes de que me quiera pegar a mí también.

Volteé: los libros de la habitación del hotel estaban montados en sus repisas, como si yo nunca hubiera hecho que se desplomara el mueble la noche anterior.

—Edgar, ¿por qué no puedes ser como tu hermano? —su voz volvió a aparecer en mi cabeza. Parecía retumbar dentro del cuarto. Los libros estaban sin polvo, con sus lomos brillantes y pacíficos. Supe que los marineros habían hecho su trabajo—. ¡Cierra la boca cuando te hablo, que pareces retrasado mental! me sequé de la frente un sudor que no estaba allí y sostuve los libros que estaban en la primera repisa—. Alfonso, termina de quemarle los malditos libros a tu hijo —los lancé por la ventana, uno por uno, como si fueran frisbees—. Este niño tiene problemas. Te aseguro que no es normal, llora por todo— luego tomé los de la siguiente hilera y los tiré todos juntos de una vez. Unos caían en la arena y otros en el mar.

—Miranda, tómate las pastillas —le gritó mi papá. Repetí el proceso hasta que arrojé todos los libros de la biblioteca.

—Hasta un feto sería más agradecido.

XII

Takeshi subió la barbilla y se arregló el corbatín. Luego se mojó la punta de los dedos con saliva y lo pasó por los hilitos de cabello que tenía en la frente. Finalmente recogí una caja de cigarros cuando pasamos por una de las cestas del hall y encendí el primero cuando salimos del hotel. Comenzamos a caminar por una vereda alfombrada e iluminada con candelabros que iniciaba en las escaleras del jardín. Estábamos en silencio, él pasándose las manos por el traje, yo aspirando y botando humo. Al parecer, ni las mesas que habíamos estado arrimando en la mañana, ni las bandejas de frutas y flores, tenían algo que ver con la fiesta. De hecho, todas esas cosas seguían igual de desorganizadas en la plaza, como si no fueran a ser utilizadas. Takeshi y yo no estábamos solos: el camino estaba siendo recorrido por huéspedes que se habían esmerado por lucir especialmente elegantes.

—El año pasado utilicé una máscara de luna llena y mi pareja se puso una de una loba. Tuvimos bastante éxito.

—¿Quién fue tu loba? —Takeshi se paró en seco y

me miró con las mejillas ardiendo.

—No hay tiempo de conversar. Caminemos rápido, que se van a acabar las máscaras.

Sospeché que se refería a Indira. El cielo estaba cubierto por una capa de fuegos artificiales que explotaban y luego se dispersaban en forma de partículas brillantes. Llegamos a una carpa decorada con alfombras de colores opacos. La entrada a la fiesta era un marco sin paredes decorado con rosas, como de unos cinco metros de alto. Debajo había un hombre con un antifaz de teatro griego dando la bienvenida, y dos chicas que parecían sacadas del Moulin Rouge. Había que ponerse en una fila para entrar, pero antes había que hacer otra cola para escoger una máscara. Yo trataba de no ver a los lados para no encontrarme con Donatella. Detrás de mí había un tipo que no paraba de reírse. Yo estaba tratando de entender si era estúpido o si realmente tenía motivos para estar contento. Notó que lo observaba de forma despectiva y se rió aún más alto. Luego estiró su brazo y se presentó.

—José.

—Edgar —me apretó fuerte la mano.

—Tienes un acento extraño, ¿de dónde eres?

—Venezuela.

—Qué extraño, tu inglés no tiene acento latino —dijo en español.

—Y el tuyo no tiene acento europeo.

—¿Ah no? —se rió acariciándose la garganta. José era delgado y tenía una nariz muy perfilada. Llevaba unos tirantes y una argolla en el lóbulo de la oreja derecha. Me pidió un cigarro y luego hizo un monólogo sobre su existencia. No había pasado ni medio minuto y ya sabía que nació en Barcelona, pero se mudó a Madrid cuando la ciudad se llenó de "bohemios buenos para nada", y que pasó varios años tocando guitarra en estaciones de metro y en plazas, hasta que armó un dúo de música country con su novia.

—Estoy seguro de que a Cuca le está yendo de maravilla. Siempre fue muy talentosa. Más talentosa que yo.

Takeshi usó sus encantos nocturnos para que la señorita que estaba atendiendo en la caja de máscaras le diera una que traía peluca de pirata. Le dio un beso en la mano a la mujer y luego me hizo una reverencia con el sombrero antes de pasar por el marco. Observé a un grupo de chicas con máscaras de cara de caballo frente a mí. Qué enfermizo me parecía todo eso. José escogió una dorada con una nariz que parecía un pico de tucán, y yo elegí un simple antifaz negro.

—Preciosa, ¿sombreros negros? —le dijo José, con un tono de voz demasiado elevado. La señorita sacó una caja con plumas, lentejuelas, y sombreros de plástico y de tela.

—Pruébese esta talla.

—No es necesario, de verdad —dije aturdido.

—Vamos, Edgar. Aprovecha, sé zorro por una noche.

—Zorro por una noche... —repetí en voz bajita, para determinar qué hacía que esa oración me sonara tan ridícula.

—¡Vaya! Preciosa, un espejo —me pusieron el espejo enfrente y me vi completamente cambiado—. ¡Hombre! ¡Que le queda bien! —la señorita se rió y me picó el ojo.

—Me siento estúpido.

—No importa, nadie tiene por qué saberlo —José soltó una risa escandalosa y se acercó la oído de la señorita—. Preciosa, ¿cómo te llaman?

—Andy —respondió y se tapó la boca con la mano, como si estuviera acomplejada por sus dientes.

—Búscame más tarde —le dio un beso en cada mejilla—. Edgar, ¿qué te parece si nos tomamos un trago?

El español me arrastró hasta una barra de licores y pidió dos copas de vino tinto. Luego nos sentamos en una mesa cuadrada que tenía en el centro un adorno hecho con cera de vela. Él tenía un tic nervioso que lo hacía mover el cuello hacia la derecha cada tantos segundos. Yo trataba de voltear a tiempo para no verlo: parecía poseído. Cada vez que comenzaba un nuevo tema de conversación, se distraía por alguna mujer que pasaba y olvidaba qué me estaba diciendo. Que la política es para los que... Porque estoy seguro de que los quesos comenzaron a... No entiendo qué hace que ellos salten de... Siempre uso tirantes porque eso les dice a las chicas que yo sé... Cuando se sabe, se sabe, y si no... José tenía una mirada algo pervertida, pero se contrarrestaba con la sonrisa de tarado que se le dibujaba cada vez que una de esas mujeres lo miraba de vuelta.

José persiguió a unas chicas que tenían máscaras decoradas con plumas de pavo real, y se las llevó a bailar. Yo quedé en el mismo lugar hipnotizado por la música. La cabeza me daba vueltas y vueltas, se perdía entre almas anónimas, se escondía detrás del sonido. Mis pies se movían como si yo mismo hubiera escogido la nota musical que estaba por nacer, como si hubiera compuesto esas piezas la noche anterior. Al rato decidí pedir una botella del mismo vino que me estaba tomando, para ir a sentarme en un lugar más solitario. Creí haber visto a los gemelos franceses porque había un par de tipos que llevaban la misma máscara de sol, solo que uno tenía cubierta la mitad izquierda del rostro y el otro la mitad derecha. A Takeshi no lo volví a ver hasta que se sentó en mi mesa con una mujer que tenía un antifaz rojo y escarchado. Ellos no sabían que era yo, así que pude quedarme callado sin tener que hacer conversación. Takeshi se veía conmovido por la presencia de aquella mujer. Parecía especialmente atento con ella. Le traía tragos, platos de comida, le arrimaba la silla, le recogía la servilleta, le buscaba otro tenedor.

Cuando fui a buscar más vino, me llamó la atención la máscara de *V for Vendetta* que tenía un tipo parado detrás de mí.

—Creo que agarraste la mejor de la caja.

—Gracias —se metió un pitillo por el hueco de la máscara a nivel de la boca para tomar un Bloody Mary y se sentó cerca de la orquesta.

—¿Te importa si me siento aquí? —negó con la cabeza.

Ambos nos quedamos callados viendo cómo la gente bailaba y se divertía. Saqué la caja de cigarros y le ofrecí uno a Guy Fawkes. Nos pusimos a fumar y a beber en silencio. Me sentía cómodo. Nadie sabía quién era quién y nadie tenía por qué hablar. Los placeres del anonimato. Pasó un marinero/mesonero con una bandeja de bolitas de carne con salsa agridulce. Imagino que Fawkes las rechazó porque no eran tan delgadas como un pitillo o un cigarro para que cupieran por la boca de su máscara. Todo había estado tranquilo hasta que pasó frente a nosotros una chica con el mismo cabello rubio y largo de Donatella. Me levanté del tiro, sin recordar que ella no me podía reconocer, y me paré detrás de Fawkes. Me comenzó un ataque de ansiedad que intenté calmar con el vino. Pero no fue muy útil: a medida que me iba sintiendo menos sobrio, iban aumentando mis ganas de correr detrás de ella para desenmascararla.

—Si sigues a ese ritmo, no vas a durar ni una hora más

—Fawkes me hizo un gesto para que volviera a sentarme a su lado—. ¿Te gusta esa chica?

—¿Qué chica?

—La que pasó cuando te escondiste.

—No me escondí —se quedó callado y me vi en la necesidad de seguirle la conversación—. ¿Por qué dices que me gusta?

—Te pusiste nervioso —le lancé una mirada fría y encendí otro cigarro.

—No me puse nervioso —él se quedó callado y

siguió tomando su bebida. Al rato me volvió a ver.

—¿Por qué no le hablas?

—¿A quién? —traté de hacerme el tonto, pero no sirvió de mucho.

—A la chica que te gusta.

—¿Quién eres tú? —pregunté desesperado.

—V —entendí que el tipo era un lunático y me volteé para buscar a la chica con el cabello de Dona. Fawkes me miró y tomó su vaso—. Tenía un vestido de satén azul — se levantó y me dejó ahí.

Primero, no sabía qué hacía él diciéndome cómo era el vestido de la chica. Y segundo, no sabía qué coño era satén. Bebí lo que quedaba en la botella y me paré del asiento. Sentí que toda la sangre de mi cuerpo salió disparada hasta chocar contra mi cabeza, igual que una lata batida de refresco. En ese momento recordé a mi abuela diciendo: "ay, Enrique, se me fueron los tiempos", y no pude parar de reírme. Me sostuve de la mesa de licores y el marinero me miró con cara de lástima.

—¿Puedo hacer algo por usted?

—¡Un cubalibre!

—¿Con limón?

—¡Como sea! —me dio otro ataque de risa por la forma en que sonaron las palabras. El marinero me dio el cubalibre en un vaso largo de vidrio. No aguanté la sed y lo tomé de golpe.

—¿Puedo hacer algo más por usted?

—Sí —le di una botella vacía que estaba sobre la barra—. ¿Me la puedes llenar? —me volví a reír. El tipo me dio una botella nueva del mismo vino.

—No quiero una nueva, te dije que quiero que me llenes la otra botella.

—Señor, me debe disculpar, pero no puedo hacer eso.

—¿Qué no? ¡Yo te voy a enseñar!—agarré la nueva botella, le pedí al marinero que me la abriera y comencé a verter el vino en la botella vieja—. ¡Mira cómo se hace! —y continué riéndome. Ni un cuarto del vino cayó adentro.

—Ya veo, señor. ¿Puedo hacer algo más por usted?

—Sí, ¿en dónde está José?

—¿José, señor? Lo siento, pero no sé quién es José.

—¡No me sorprende! ¡No sabes hacer nada! —dejé ambas botellas en la mesa y comencé a buscar a alguna chica que estuviera sola para bailar—. ¿Quién quiere bailar? —grité enfrente de un grupo de mujeres que se iban duplicando mientras las observaba.

—¡Samantha quiere! —contestó una morena, antes de hundirse en una risa interminable.

—¡Samantha! —grité frente a la morena.

—No, yo no soy Samantha.

—¿Entonces no quieres bailar? Tú me gustas.

—¿Qué? —la tipa se las arregló para convertir su cara en una fresa.

—No sé, ¿qué? —me agarré del respaldar de una silla—. Tendré que bailar solo. Me alejé de ellas y me metí entre docenas de parejas que giraban y giraban al ritmo del vals. Se me clavaron como siete tacones en los pies, treinta brazos en las costillas, y cuarenta nalgas en mi espalda. Yo estaba bailando con alguien imaginario, colocando la mano izquierda en su cintura y la mano derecha en el aire. Era sencillo seguirle los pasos; se deslizaba como si estuviéramos en una pista de hielo. Eventualmente la chica morena ocupó el vacío de mi pareja y bailó conmigo las siguientes piezas.

—¡Edgar!

—¡José! —me alegré tanto de que apareciera el español, por más estereotipado que se esforzara en parecer, que solté a la chica y me lancé encima de él—. ¡Necesito tu ayuda! —le grité en el oído—. Ayúdame a buscar a una mujer con un vestido de ssss azul.

—¿Qué es la s?

—No sé —me puse el dedo en la boca, para hacer una señal de silencio.

—¡Ah! ¡Ya entiendo, hombre! —me dio una palmada

en la espalda—. ¡Es un secreto! ¡Vaya, pero qué poético el Edgar! ¡Una mujer con un secreto azul! —no sé de qué carajo estaba hablando, pero me comencé a reír en su cara—. ¿Y en dónde está el secreto azul?

—¿Cómo voy a saberlo?

—Ya sé, ¿te refieres al agua? —lo miré, tratando de entender—. ¿O al cielo?

—¿De qué coño hablas?

—¡De tu chica! —subió los brazos—. Dime, ¿es real?

—¡Claro que es real! —me molesté—. Se llama Donatella.

—¿Donatella? No conozco a ninguna Donatella. Creí que conocía a todas las chicas que se estaban quedando en Andor — sentí el impulso de caerle a coñazos al español, pero le di un segundo chance.

—¿Quieres decirme que la única razón por la cual no conoces a una chica es porque no existe?

—Pero, mírate, ¿me vas a golpear?—soltó una de esas risas que le quitan a uno las ganas de vivir.

—¿Quieres que te golpee?

—¿Me quieres golpear?—se comenzó a balancear sobre sus pies, como si estuviera preparándose para boxear conmigo.

—¿Quieres que te golpee?

—¿Me quieres golpear? —no sé por qué estas palabras me parecieron conocidas por un instante, como si fueran un eco. Lo empujé contra una pareja que estaba bailando y los tres se cayeron al piso. Me sentí poderoso, sin embargo, salí corriendo para salvar mi existencia—. ¡Gilipollas!

José comenzó a perseguirme por toda la fiesta, tirando sillas y mesas que se atravesaban en su camino. Yo gritaba a todo pulmón para que alguien me ayudara y al mismo tiempo no paraba de reír. Quise detenerme y burlarme en su cara, pero no podía poner mi vida —o mi no-vida— en riesgo. Finalmente me monté encima de una mesa y comencé a cantar *O Sole Mio* al volumen que mis cuerdas vocales me lo permitieran. Las nubes se apartaron y los cielos se abrieron para descargar toda su energía en mi cuerpo. Zeus estaba apoyándome y las diosas estaban armando un camino para guiarme hacia Donatella. Los enmascarados que estaban sentados me comenzaron a aplaudir y en ese momento supe que mi carrera de cantante había comenzado.

—¡Joder! ¡Bájate de ahí! —me gritó José.

—José, ¡dale a tu cuerpo alegría! —aplaudí—, ¡que tu cuerpo es pa' darle alegría, Macarena!

—¿De qué hablas, idiota? —estaba que botaba espuma por la boca—. ¡Bájate, para romperte el cuello! —le di la mano para que se subiera a la mesa y me pegó un coñazo en la barriga.

—¿No quieres bailar? —comencé a aplaudir y a patear la mesa—. ¡Vamos a aplaudirle a José, para que pierda la vergüenza! Deliraba. Lo peor de todo es que la gente comenzó a aplaudir.

José estaba demasiado molesto como para seguir haciéndome caso, así que me dejó disfrutar mi minuto de fama y se disipó en la muchedumbre. No entiendo cómo no se había dado cuenta de que yo era un caso perdido. Yo lo único que pensaba era que estaba teniendo un revelación: debía volver a la vida para dedicarme a las artes escénicas. Después de bailar cualquier cosa, incluyendo la conga y algunos pasos de tango a la Edgar, me bajé de la mesa y caí como una tabla sobre una alfombra. Sospeché que no podría moverme hasta el día siguiente, pero alguien me ayudó a voltearme hasta quedar boca arriba. Me puse a contemplar los fuegos artificiales que seguían vistiendo al cielo nocturno y a respirar profundo para no vomitarme encima. Parecía un bebé viendo las chispas de luz que se dispersaban como burbujas sobre nosotros, intentando tocarlas cuando caían cerca de mi cuerpo casi muerto.

—¿Te puedes sentar? Apóyate de mi brazo.

—Hola, V —sentí que su máscara tapaba toda la diversión—. No quiero —dije, sujetándome de la alfombra—. Me gustas los fuegos artificiales.

—¿Te gusto los fuegos articiales? —se sentó a mi lado—. Párate, que te vas a sentir mejor.

—¿Cómo sabes? —me dieron ganas de llorar. No me hizo caso y me haló de las manos hasta que me senté.

—Te dije que no ibas a durar si seguías tomando así —se sentó a mi lado y lo miré. Ya me quería quitar la máscara, sentía que me estaba asfixiando.

133

—¿Y mi sombrero?

—Lo lanzaste hace como una hora, cuando estabas bailando salsa.

—Yo no sé bailar salsa.

—Tranquilo, todo el mundo se dio cuenta —en ese momento desapareció el mínimo de autoestima que había recolectado a lo largo de la noche.

—¿Ya nos podemos quitar las máscaras?

—Nadie se ha quitado la suya, pero nos podemos ir.

—¿Qué hora es?

—Todavía no es ni media noche —respondió—. ¿Te quieres ir?

—Sí —dije, abriéndome la chaqueta—. Nunca quise venir — le teníamos que devolver las máscaras a la misma señorita que nos las entregó, así que nos dirigimos a donde ella estaba. La entrada estaba completamente desierta.

—Espero que hayan tenido una buena noche —dijo la mujer con un tono muy animado. Me quité el antifaz y lo puse en sus manos.

—No más zorro —susurré. Fawkes se quitó la máscara y resultó ser la chica que estaba leyendo en el hall del hotel—. ¿Eres mujer? —en ese momento noté que tenía tetas—. Pensé que eras un hombre —entregó su máscara y se soltó el cabello; lo había tenido recogido en un moño—¿Por qué te vestiste como un hombre? —me sentía engañado. Si hubiera sabido que Fawkes era una mujer, me habría comportado distinto. Ella tenía la cara pálida y los pómulos muy marcados. Me daba un aire a Virginia Woolf de joven—. Estoy confundido.

—Me imagino —respondió de forma sarcástica. Su voz era carrasposa. Si cerraba los ojos y olvidaba su cara, podía creer que estaba hablando con una mujer de sesenta años. Sacó un cigarro, lo encendió y comenzó a caminar hacia el hotel.

—¡Espera! —me miró en silencio, esperando a que yo dijera algo—. ¿No me vas a decir quién eres?

—¿Para qué? —subió la ceja y se volteó para seguir caminando.

—Me caías mejor cuando tenías la máscara.

—¿Porque pensaste que era un hombre? — me quedé callado, pero no dejé que se fuera sola al hotel. Comencé a caminar a su lado y encendí mi propio cigarro.

—¿Puedo llamarte V?

— Ya no tiene sentido.

—Bueno, no sé cómo te llamas y tú no me quieres decir quién eres, así que te seguiré tratando como si tuvieras una máscara encima —se detuvo y me miró por un momento. Su expresión facial nunca cambiaba. Se metía y se sacaba el cigarro de la boca, y eso era lo más innovador que le ocurría a su cuerpo.

—Edgar, ¿no?

—¿Cómo sabes? —pregunté, cerrando un ojo.

—Así te llamaba el tipo que te estaba persiguiendo en la fiesta —me mordí el labio superior—. Ah, mentira, ahora que lo pienso, te llamaba Idiota —aspiré de mi cigarro y boté el humo en sus tetas.

—Estoy mareado. Si me disculpas, creo que es momento de que me vaya a dormir —tiré el cigarro en la tierra, metí las manos en los bolsillos y seguí por el camino alfombrado hacia el hotel.

XIII

Me sentí como en casa, siendo el único que no estaba disfrutando de la fiesta. Quise devolverme y buscar a Donatella, pero no pude. No es que todo ser vivo nace, se reproduce y muere. No. La persona nace, le meten mierda en la cabeza, se la cree, la reproduce y muere. ¿Por qué había que ponerse una máscara? Donatella se estaba escondiendo de mí. Estaba seguro. Llegué a las escaleras de la entrada del hotel y me senté. Aún estaba muy mareado. A veces sentía que me faltaba sensibilidad en la punta de los dedos. Destrocé los tres cigarros que me quedaban, luego los escondí en la tierra con la punta del zapato. V se estaba acercando lentamente. La ignoré. A las personas como ella hay que ignorarlas, hay que minimizarlas para que lo traten bien a uno. Esas son las que nos hacen mortales. Sí, las que nos hacen miserablemente mortales.

—Pareces un fantasma. ¿Te importa si me siento aquí? —subí los hombros sin mirarla. Ella se sentó en el primer escalón y permaneció en silencio. Limpié la tierra del pantalón y observé el camino hacia la fiesta. Las velas de los candelabros estaban intactas, como si el fuego no supiera derretir la cera en Andor—. Mira, Edgar, no debí tratarte así. Me llamo Mila. No se me hace fácil hablar con desconocidos.

—A mí tampoco, pero no los trato como si fueran mierda —Mila arrugó la cara—. Aunque, a veces, me provoca —me miró pidiendo permiso para sonreír y se lo consentí. Puso la mano en mi hombro e intentó hacer una caricia, pero lo terminó saliendo un golpecito tosco.

—Me molestó que pensaras que yo era un hombre.

—No fue a propósito —ambos soltamos una risa incómoda y luego volvimos a nuestro silencio habitual. Ella sacó la caja de cigarros y nos dedicamos a fumar. Estaba comenzando a bajar la temperatura y los troncos de los árboles se borraban entre la neblina.

—¿Nunca llueve, verdad? —Mila botó el humo del cigarro y se quedó observando el cielo—. ¿Esos fuegos artificiales son eternos?

—Por lo menos no suenan. Tenía todo el traje lleno de tierra y el cabello alborotado. Intenté peinármelo hacia atrás con la mano, para no verme tan patético. Mila sopló las cenizas que habían caído en el concreto y luego apagó lo que quedaba del cigarro.

—¿El libro que estabas leyendo, lo sacaste de la librería?

—No. De una biblioteca —se inclinó hacia delante—. Asumo que ya sabes que podemos...

—Construir nuestro propio Andor. Sí —apagué el cigarro y lo eché en la grama. Volteé y le eché una mirada

138

al hall. Tenía que aprovechar que el hotel estaba vacío para ir a buscar el diario—. Mila, necesito hacer algo —pareció decepcionada.

—No tienes que inventar una excusa para no hablar más conmigo, ¿sabes? —se levantó y se sacudió el pantalón. Tiró el cigarro y lo aplastó con su zapato de cuero negro.

—¿Qué te pasa? —le pregunté alterado. Me miró atónita, sorprendida por mi reacción.

—Nada, me estoy quitando de tu camino.

No podía creerlo. Cada mujer era más complicada que la otra. Se alejó de mí, marcó el ascensor, se montó y desapareció. Yo seguí sus pasos, hasta que doblé a la derecha para aproximarme al cuarto que daba hacia la playa. Estaba oscuro y no había marineros. Los que estaban afuera se veían muy ocupados sonriéndose entre ellos. Palpé los alrededores del marco, buscando la forma de encender la luz y no encontré sino un enchufe bloqueado. Me acerqué a la salida hacia la playa y sentí que alguien estaba parado detrás de mí. Volteé sobresaltado: era Donatella, observándome como un cuervo. Estaba más hermosa que nunca. Tenía un vestido rojo y el cabello peinado en forma de cinnamon roll sobre su nuca. Los ojos enmarcados en pintura negra, sus pestañas caían como las ramas de un sauce. Los labios dilatados y de color carmín. Las caderas reclinadas hacia un lado, sus brazos cubiertos por unos guantes negros hasta los codos. Había algo extraño en su mirada; tenía una expresión oscura y retorcida. Ya Donatella no aparentaba ser menor que yo. Sus rasgos parecían los de una fruta madura. La mano se me cayó del picaporte, pero no pude moverme hacia ella. Quedé estático, contemplándola como a una obra renacentista, como a una amenaza para mi salud. Qué se había hecho, qué había pasado con su cuerpo. Me sentía como un bebé frente a ella, como un bebé que, por primera vez, observa los ojos de una mujer. Separó su cuerpo del marco de la puerta y comenzó a aproximarse hacia mí. Se movía como una serpiente, deslizándose por el suelo a punto de atacarme. Sus labios no se movían, nada en su rostro se movía. Estaba decidida a hacerme daño. Se quitó los guantes y con una mano se soltó el peinado para que su melena cayera como un chorro de escamas sobre el piso. Sentí terror y desprecio. Volví a agarrar la manilla y pegué mi espalda de la puerta. Ella tomó aliento y subió los brazos. Antes de que pudiera tocarme, abrí la salida hacia el mar. Viendo fijamente sus ojos amarillentos, caminé hacia atrás y tranqué la puerta en su cara.

Caí sentado en la arena, muy cerca de unas rocas y unos corales. El mar estaba turbulento. Me acerqué a la orilla y dejé que el agua arrojara arena sobre mis zapatos. Permanecí concentrado en el movimiento de las olas sobre mi cuerpo. La espuma iba y venía. Tan fría, tan revuelta. Se crearon charcos debajo de mis pies, entre las medias y las suelas. Quedé sumido en el oleaje.

Mi papá nos llamó a Bernardo y a mí, pero ninguno de los dos hicimos caso. Mi hermano estaba armando un rompecabezas que nos había regalado Margot la Navidad pasada, cuando todavía era una secretaria y recién estaba tratando de encajar en nuestra familia. Seguí leyendo el libro que tenía disfrazado de revista porno. Mi papá volvió a gritar nuestros nombres y se asomó a la habitación. Había estado tomando todo el día, pero aún no se encontraba borracho. Todavía tenía sangre seca alrededor de la boca y el cuello envuelto en gasas. Nos pidió que termináramos de montar las cajas que faltaban en el camión. Me levanté de la silla y dejé ahí mi libro. Agarré la que tenía discos y la monté en el asiento delantero. Pesaba diez veces más que yo. Volví al cuarto y le pedí a Bernardo que me ayudara. Clavó sus ojos marrones en mí y se levantó del sofá. Arrimó la mesa con el rompecabezas y agarró una caja con cada mano. Observé los tatuajes de gaviotas en sus brazos y sentí una breve sensación de paz. Margot apareció con el mismo vestido fucsia que utilizaba cada vez que iba a ver a mi papá y me llenó la cara con pintura de labios. La odié en ese instante. Se sirvió un vaso de vodka con soda y se sentó con las piernas abiertas. Agarré de nuevo mi libro y salí de la casa. Me puse a leer en las escaleras, para que me dejaran en paz. Escuché que mi papá comenzó a gritar y a lanzar platos contra la pared. No me acostumbraba a que él fuera el agresivo de la casa. Bernardo salió y tiró la puerta. Se acercó a mí con un cuaderno en la mano y lo dejó sobre mis piernas. Ésa fue la última vez que lo vi. Abrí el libro y era un diario. Las páginas estaban cubiertas de una caligrafía perfecta. Cada una comenzaba en una fecha y terminaba en una firma. Detrás de la última hoja había una foto en blanco y negro de ella. Ella. Su cabello aún era rubio y largo. De la cara resaltaban sus pómulos y los ojos claros. Su cuerpo no se veía esquelético, sino voluptuoso y saludable. Estaba sonriendo, como si realmente fuera feliz. Todavía no le habían recetado las pastillas. Volteé la foto y había una frase escrita con tinta negra.

XIV

Entramos al consultorio. El doctor nos pidió a Takeshi y a mí que tomáramos asiento. El tipo se veía tan pulcro como la primera vez que fui; tenía la postura de una escoba y toda la habitación estaba impregnada de su colonia. Se encontraba sentado en el extremo opuesto del salón. En una mano sostenía la carpeta con mi nombre y en la otra tenía un lapicero.

—Buenos días, sensei —le dijo Takeshi, juntando sus manos y reclinando la cabeza. El doctor hizo un gesto y luego bajó la mirada para abrir la carpeta.

—Señor Crane, permítame presentarme; mi nombre es Andrew Orson Radcliffe —lo miré atento, escuchando cómo la respiración de Takeshi se iba haciendo más fuerte—. El día de hoy hablaremos de su progreso y en ello me ayudará su guía. Dígame, ¿cómo se siente hoy?, ¿disfrutó la fiesta de ayer? —no dije nada. Tenía los ojos decaídos y la mente sobresaturada. Me sentía cansado. Desganado—. No importa. A ver... Takeshi me dice que usted ya está familiarizado con la forma en que trabaja Andor —asentí con la cabeza. Quería acostarme a dormir por mucho tiempo—. Estuvimos estudiando sus mapas y hasta ahora usted ha visitado algunos locales públicos, un lago, un bosque, una casa, un cementerio y una caballeriza. ¿Correcto?

—También fui a la playa —agregué. Me rasqué la nariz y me puse a observar el ambiente del consultorio.

—Definitivamente ha progresado con respecto a las relaciones interpersonales —volvió a leer y a levantar la mirada—. Parece que tiene un pequeño vicio con los cigarros. No debería fumar más mientras considere la opción de salir de Andor — Takeshi me dio una palmada en la espalda para que dejara de ver las ventanas y participara en la conversación.

—Fumo desde los doce años.

—Es un buen momento para dejarlo, ¿no cree, Kazuki? —asentí con la cabeza para complacer a Takeshi. El doctor me lanzó una sonrisa incómoda y luego pasó la página.

—Edgar, ¿quieres contarme algo? —era la primera vez que me llamaba por mi nombre. Cruzó los brazos. Permanecimos en silencio por un rato.

— Ella... —tragué tres veces como si estuviera tomando agua, pero la saliva no era suficiente; necesitaba tragarme algo más. Me rasqué el cuello y volteé los ojos hacia arriba—. Mi mamá... —Takeshi miró su reloj e intercambió una mirada con el doctor. Luego se levantó de la silla y me puso la mano en la cabeza.

—Kazuki, trate de hablar —se despidió del doctor con un gesto y salió de la habitación. Tenía dolor de cabeza, sentía que me habían pegado con un bate en la memoria. Me recliné más en el asiento y lancé el cuello hacia atrás. Mis pensamientos quedaron guindando, a punto de caer al suelo.

—Edgar, ¿quieres contarme cómo te fue en la playa? Sentí que me estaban entregando una pala para que comenzara a cavar un hoyo. No quería tocar ni la superficie, no quería oler esa tierra ni hablar de esas raíces. Lo que me pedían que sacara estaba sepultado en un lugar muy lejano y una pala no iba a bastar para recuperarlo.

—Bueno... —el doctor mantuvo una mirada serena— , encontré... —él se levantó y arrimó su silla a donde yo estaba sentado. Ahora estaba demasiado cerca de mí.

—Cuéntame, ¿qué encontraste? —tenía actitud paternal. Solté un quejido súbitamente al botar aire por la boca. Me sentí agotado.

—No lo encontré, me lo dio Bernardo.

—¿Qué te dio? —preguntó. No estaba seguro de querer compartir la respuesta. Me eché el pelo hacia atrás y después de un silencio cansado abrí la boca.

—El diario de ella —esas palabras me arrancaron algo. Cada letra estaba encadenada a una parte de mí y, cuando salieron por mi boca, sangré.

—Señor Crane —interrumpió después de un largo rato—, debo anunciarle que hoy será trasladado a otra habitación.

—¿Qué? —levanté la mirada y me sequé la frente de

144

nuevo.

—Error del hotel, nada grave —me entregó un ticket blanco con dos rayas rosadas a los lados—. Su tren partirá a las 12:15 del medio día.

—¿Tren? —pregunté angustiado.

—Su nueva habitación está en otro hotel —se quitó los lentes y comenzó a limpiarlos con un pañito gris—. Es por su comodidad. No es necesario que vaya a pie —me entregó una carta—. Ahí está todo lo que necesita saber —me abrió la puerta y se despidió dándome una palmada de consuelo en la espalda—. Todo va a estar bien.

Pasé por el baño para enjuagarme la cara y lavarme las manos. Recordé ese instante en el que vi reflejada mi cara sobre la puerta del horno, justo antes de abrirla. Takeshi estaba sentado en el hall del hotel, leyendo una revista mientras se tomaba un té.

—¿Una nueva habitación?

—Emocionante, ¿no cree, Kazuki? —cerró la revista.

—¿Y tú vienes?

—Por supuesto. Su casa es mi casa —se rió y tomó un sorbo del té.

Me senté en la butaca más cercana y quedé jugando con mi boca, como un niño. La fruncía hacia la derecha y luego hacia la izquierda. Luego subí y bajé la lengua. La pegué del paladar y luego la enrollé como un sushi. Volví a ver a Takeshi y me asusté cuando descubrí que él me había estado observando todo ese tiempo. Vi el sobre en mis manos y no tuve más remedio que averiguar qué coño estaba pasando.

Estimado Sr. Edgar Enrique Crane,

Por medio de la presente se le notifica que usted ha sido trasladado a un nuevo hotel. Sus pertenencias ya se encuentran acomodadas en el nuevo cuarto. Lamentamos los inconvenientes que esto le pueda causar.

Salida del tren 12:15 pm

Atentamente,

Claudia Ajena

Takeshi y yo pasamos por el restaurante del hotel para comer y luego nos fuimos a la estación. Ésta quedaba justo detrás de la torre D, donde me había estado hospedando. Parecía una estación europea, exceptuando las aglomeraciones de marineros cargando maletas.

—¿Qué hay en esos equipajes?

—Nada; están vacíos —solté un largo suspiro por la nariz.

Nos sentamos en unos bancos de madera y permanecimos callados. Volví a leer la carta y luego la guardé en el bolsillo del blue jean. Un marinero agarró un megáfono y anunció que el tren estaba por llegar. Takeshi y yo nos levantamos y nos pusimos a conversar sobre el pollo que habíamos comido en el almuerzo. Estaba insípido. Observé los rieles y pensé en la muerte de forma tentadora. Hubiera querido lanzarme y ahorrarme toda la molestia del cambio de hotel. No sé qué me detuvo. El tren era verde botella y extremadamente largo. Entramos en el primer compartimiento que encontramos y luego hicimos como si cada quien estuviera solo. Takeshi se recostó del asiento de cuero marrón y se quedó dormido. Me pidió que lo despertara cuando llegáramos. Yo me apoyé de la ventana, listo para meditar mientras veía el paisaje. Para desgracia mía, lo único que se veía afuera era una pared de concreto, como si estuviéramos metidos en un subterráneo. Cerré los ojos y me mantuve así por un tiempo. Cada neurona se las arregló para generar una preocupación. Abrí los ojos y noté que a Takeshi se le movían los párpados mientras dormía. Pensé en los sonámbulos. Como si el tren pasara por un túnel excavado bajo el sueño, y el único modo de estar en él fuera como andante dormido. Me levanté y fui a dar un paseo. Algunos compartimientos estaban vacíos y otros ocupados. Crucé un pasillo con unas mesas blancas para comer, y luego me devolví para entrar en el baño. Eché agua en mis ojos, luego me apoyé del lavamanos y respiré profundo. Sentí que había envejecido algunos años. Caminé de vuelta a mi asiento, asomándome por las ventanas de los compartimientos. Descubrí que Mila estaba leyendo dentro de uno de ellos.

—Disculpe, ¿sabe a qué hora se detiene el tren? —imité el acento británico.

Bajó el libro y me miró manteniéndose seria. Vestía una camisa de botones blanca y una falda azul oscuro a nivel de la cintura. Las piernas forradas en unas medias de nailon y los pies metidos en los mismos zapatos de cuero negro de la otra noche. Su cabello acomodado de lado sobre el hombro derecho. Tenía unos lentes negros y los labios pálidos.

—Me gusta cómo estás vestida —arrugó la frente como si le hubiera molestado mi comentario y volvió a subir el libro. Tomé asiento a su lado y seguí mirándola. Me gustaba cómo intentaba ignorarme . Es curioso, pero llevas como una hora leyendo la misma página.

—¿Qué quieres?

—Tu atención.

—Estoy ocupada —se bajó el borde de la falda hasta cubrirse las rodillas.

—Lee en voz alta —me puse cómodo—. Así yo también tengo algo que hacer.

—No me gusta leer en voz alta.

—¿Qué te parece si te leo yo a ti? —dije calmado. Me miró con desconfianza, pero decidió darme una oportunidad.

Sacó el marcalibro de entre las páginas, una carta A de corazones rojos, y me señaló en qué parte del párrafo había quedado. Enderecé mi postura y me aclaré la garganta. Ella se recostó de la ventana y cerró los ojos. Me dediqué a leerle y ella se dedicó a escucharme. Al comienzo lo hice con temor a equivocarme, con timidez y poco arrojo. Mi ritmo de lectura no fue melódico sino hasta varios minutos después, cuando los sonidos ya salían suaves y correctos por mi boca. Me convertí en un títere de seducción, en el narrador de otra historia. Mila no volvió a abrir los ojos durante mi lectura, pero sus expresiones faciales me aseguraban su estado de lucidez.

—Mila, tengo sed —ella abrió los ojos y se apartó de la ventana.

—Me gusta tu voz —dijo tímidamente. Sonreí y le devolví el libro—. Nunca me habían leído.

—Yo nunca le había leído a nadie —me levanté del asiento—.Voy al filtro de agua y vuelvo. No te vayas.

Pasé frente a algunos compartimientos vacíos y luego me serví un vaso de agua. Estaba a temperatura ambiente. También le serví uno a Mila y volví a donde ella estaba sentada.

—Gracias —tomó el vaso y lo bebió de golpe.

—Leí esa novela hace varios años —sonreí. Dejó el libro a un lado y le puso encima el vaso plástico y vacío. Me vio como si estuviera detallando mi fisionomía.

—Me recuerdas a alguien. No sé a quién... —dijo, incorporando su voz al sonido del tren—. En fin. ¿Ayer pudiste hacer lo que...?

—Sí —interrumpí, antes de que terminara la oración—. Y no fue una excusa que inventé para no hablar más contigo. Hace unos días... —me detuve, tratando de pensar qué parte de la historia debía contarle—. Lancé un diario por la ventana de la habitación y ayer necesitaba ir a recogerlo.

—¿Por qué?

—¿Recuerdas cuando me preguntaste sobre la chica del vestido azul en la fiesta? Bueno, ella no era nadie, pero se me pareció mucho a alguien. Pensé que era Donatella —Mila hizo una mueca extraña con la cara, lo que bastó para que se me quitaran las ganas de contarle—. ¿Te incomoda la conversación? Mejor hablemos de otra cosa

—ella torció un poco los labios, como si no tuviera intención de cambiar el tema—. ¿Ya te dije que me recuerdas a Virginia Woolf? —cambié el tema de nuevo. Ella sonrió como si le hubiera complacido mi comentario.

—¿Por qué? —preguntó animada.

—No sé... creo que es la nariz.

—Eso no es un cumplido —dijo decepcionada.

—¿Cómo no? Es el mejor cumplido que he hecho en mi vida.

—Entonces no sabes nada de cumplidos —respondió, con un tono de voz bastante antipático. Me fastidió su actitud y no quise contestarle. Bostecé, aspirando todo el desagrado que estaba concentrado en el compartimiento.

—¿Quieres ir al comedor? Tengo ganas de merendar —le di paso para que caminara frente a mí y por primera vez noté que le llevaba una cabeza. Mila era menuda, pero no frágil. Cuando cruzamos la puerta del comedor, vimos que no había ninguna mesa vacía—. ¿Qué quieres hacer? —pregunté, viendo a los lados.

—¿Te importa si nos sentamos con otras personas?

—No... —traté de no parecer incómodo. Ella se alejó de mí para acercarse a un par de chicas que estaban sentadas en la única mesa que tenía dos puestos disponibles. Les preguntó algo y luego agitó la mano para que yo la siguiera.

—Gracias —les dijo, amablemente—. Yo me llamo Mila; él es...

—Edgar —contestó la chica morena pegada a la ventana.

—Hola, Esmeralda —hice un esfuerzo por no parecer desconcertado.

—Tiempo sin verte —respondió, masticando chicle—. Salúdame, dame un beso —forcé una sonrisa y me senté del lado opuesto, dejando a Mila a su lado.

—¿Se conocen? —preguntó la otra chica.

—Solo un poco... —Mila pareció incómoda con la respuesta de Esmeralda.

—¿Cómo se pide comida aquí? ¿Ya ustedes ordenaron algo? —dije toscamente.

—Hay un mesonero —respondió la chica anónima—. No, no tenemos hambre. Mila y yo intercambiamos una mirada y permanecimos callados. Esmeralda estiró la pierna debajo de la mesa para tocar mi pie. Yo la miré con desagrado y ella retiró sus pertenencias.

—Si nadie está comiendo, ¿por qué ocupan estas mesas? —dijo Mila. Era verdad. Nadie estaba comiendo.

—Nosotras quisimos cambiar de ambiente, ¿te molesta? —justo cuando pensaba que Esmeralda no podía ser más insoportable, se las arreglaba para demostrarme lo contrario. Le lancé una mirada a Mila para que nos fuéramos de ahí, pero un mesonero se acercó a nosotros.

—¿Qué les puedo servir hoy? —sacó un bolígrafo de la nada.

—¿Tienen algo dulce? —preguntó Mila.

—Tenemos algo parecido, pero es más ácido.

—¿De qué color?

—No sabría decirle, pero tiene buen gusto.

—¿Edgar, quieres compartir uno conmigo? —preguntó Mila. Esmeralda la miró despectivamente y volteó hacia la ventana.

—No, gracias. No tengo hambre.

—Bueno, uno para mí, por favor.

—Por supuesto —el mesonero tomó la orden y luego metió el bolígrafo en su bolsillo. Nos mantuvimos sin hablar, cada uno viendo hacia un lado. Estaba perturbado. Observé a Mila y luego el concreto detrás de la ventana del tren. No podía saber en qué dirección estábamos viajando. Nada parecía cambiar.

—Voy al baño —tras levantarme, me fijé en las personas que estaban sentadas en las otras mesas. Todas en silencio, concentradas en la misma pared de concreto. Entré en el baño y bajé la tapa de la poceta para sentarme. No sé cuánto tiempo pasó hasta que pude levantarme de nuevo, lavarme las manos y regresar a la mesa del

152

comedor—. ¿Pudiste comer? —le pregunté a Mila.

—Sí —sonrió.

—¿Qué tal estaba?

—Ácido.

—¿De qué color era?

—No sabría decirlo.

Esmeralda y la chica anónima estaban hablando en voz baja sobre quién sabe qué; yo no entendía una palabra. Mila me observaba y hacía como si estuviera fumando con un pitillo. Volteé hacia el concreto y sentí claustrofobia. Me levanté rápido de la mesa y caminé por ese pasillo hasta el final. Luego me devolví y me senté en el borde del asiento.

—¿Alguna sabe cuánto tiempo falta para llegar?

—Creo que nadie sabe —dijo la chica sin nombre. El mesonero se acercó a nuestra mesa con un vaso de vodka con soda.

—Esto es para usted —puso el trago frente a mí.

—Yo no pedí nada.

—Es un regalo. Las tres chicas miraron el trago y luego se pusieron a conversar entre ellas. Miré a los lados para ver si alguien me estaba observando, pero todo el mundo seguía seducido por el concreto detrás de las ventanas. Volví a observar el vaso y leí un post-it que estaba guindando a un lado. *Nos vemos esta noche en el lago.* Me levanté de golpe y el trago cayó al suelo. El líquido se derramó sobre mis zapatos. Los trozos de vidrio en el suelo parecían los de una ventana rota. Ya nadie estaba sentado en las mesas del comedor. No estaba Mila, no estaba Esmeralda. Nadie. Sentí una ola de náuseas y corrí por el pasillo a donde estaba mi compartimiento, apoyándome de las paredes del tren. Finalmente abrí la puerta de un coñazo, y escuché que Takeshi gritó mi nombre, extendiendo sus brazos para atraparme y evitar que cayera al piso.

XV

Después de esperar hasta las cuatro de la tarde para que la atendieran, le pidieron que pasara a la oficina del doctor. Marina Rubio se aferró a su cartera y apretó los labios para simular una sonrisa frente al enfermero que pasaba a su lado cada cinco segundos.

—Señora Rubio, tome asiento —trancó la puerta.

—Gracias —guindó la cartera de la silla y esperó en silencio a que el doctor le hablara.

—¿Cómo se encuentra?

—Espero sentirme mejor cuando salga de aquí — respondió, nerviosa.

—Entiendo. Esperemos que sí —el doctor sacó un par de carpetas marrones y las dejó sobre la mesa. Se acomodó el cabello grisáceo hacia un lado y sacó unos lentes del bolsillo de su bata blanca.

—¿Puedo ofrecer... taza de manzanilla o vaso de

155

agua? —le preguntó el enfermero con un mal español, como si apenas estuviera aprendiendo el idioma.

—Una manzanilla estaría bien, gracias —respondió—. ¿Doctor, cómo sigue Edgar? —Marina hizo un esfuerzo para no echarse a llorar.

—Está mejor, ha tenido numerosos avances. La citamos para hablar de cómo ha sido este proceso y para hacerle algunas preguntas sobre Edgar. ¿Estamos de acuerdo? —Marina asintió con la cabeza y se enderezó en el asiento—. Primero que todo, Edgar quiere volver a vivir. Me parece que la idea del suicidio ya se evaporó de su cabeza.

—Doctor, Edgar ya había intentado suicidarse un par de veces antes, y los otros psiquiatras nos habían dicho que ya le habían sacado esa idea de la cabeza.

—Yo entiendo, pero, como usted misma está diciendo, eso se lo dijeron otros psiquiatras —pausó y leyó la primera hoja adentro de la carpeta—. Otros psiquiatras que se quedaron en el siglo XX —Marina permaneció callada, tratando de entender lo que le estaban diciendo—. Mi intención no es criticar a las personas que han intentado ayudar a su familia, pero debe tener confianza en lo que le estoy diciendo. ¿Estamos de acuerdo?

—Sí —el enfermero entró en la oficina silenciosamente, haciendo un esfuerzo por pasar entre un estante de metal y la mesa del doctor sin tumbar nada.

—Aquí tiene su manzanilla —colocó la taza frente a ella.

156

—Gracias —respondió Marina, detallando los rasgos orientales del enfermero.

—Le presento a Takeshi. Él me está ayudando con Edgar adentro del programa. También nos ayuda una nueva pasante. Se llama Milanna.

—Ah, qué bueno —dijo ella, dándole la mano al asiático.

—A ver, señora Rubio, ya encontramos el causante principal de su pulsión de muerte. Ayer en la noche, el sistema rastreó una emoción intensa conectada con su madre. Él parece relacionarla con un diario de cuero turquesa que encontró su hermano mayor, Bernardo. ¿Sabe algo de esto?

—Sí... Eso fue lo único que les dejó su mamá antes de ahogarse. No sé en qué parte de su cuarto estará ese diario, pero si le interesa puedo buscarlo.

—No estaría de más. Dígame, señora Rubio, ¿sabe qué pasó con Bernardo?

—Vive en Australia. Suele llamarnos en los cumpleaños y en Navidad.

—¿Desde hace cuánto tiempo no vive con Edgar?

—Desde hace más de quince años. Se fue de esa casa poco tiempo después de que su mamá falleciera.

—¿Sabe por qué?

—Me imagino que se cansó de encargarse del papá

157

cuando estaba borracho —suspiró—. A decir verdad, yo también hubiera huido de esa casa.

—¿Desde cuándo vive Edgar con usted?

—Él apareció en la puerta de mi oficina poco tiempo después de que Bernardo escapara.

—¿Qué pasó con el papá y la madrastra?

—Siguen viviendo en una casa en Prados del Este. Supe que el papá lleva tres años sobrio y que tuvo un hijo con ella.

—¿Edgar lo conoce?

—No. Creo que la última vez que Edgar vio al papá fue cuando tenía como 16 años.

—¿Qué sabe de la esposa del papá?

—Sé que se llama Margot... —tomó un sorbo de la manzanilla—. Creo que era su empleada en una de las librerías.

—De acuerdo —anotó algo más en la hoja—. Takeshi, ¿tú quieres aportar algo?

—Señora Rubio, estoy seguro de que Edgar va a lograr salir de Andor.

—¿Cómo se ha sentido él? ¿Lo ven deprimido?

—Su estado de ánimo ha mejorado —aseguró el enfermero—. Esta mañana tuvo un pequeño impase, pero nada de qué preocuparse.

—Pobre... —se echó a llorar—. De verdad que ese muchacho ha sufrido mucho —le pasaron una caja con clínex para que se secara la cara y le trajeron un vaso de agua.

—Señora Rubio, me parece que lo peor ya pasó.

—¿Le parece? —preguntó espantada.

—Bueno, desde el comienzo de este proceso se le advirtió que los resultados de Andor nunca van a ser cien por ciento seguros.

—Solo esperamos lo mejor —agregó el enfermero.

—Yo sé que me lo advirtieron, pero no entiendo por qué podría salir mal —dijo afligida.

—Lamente del ser humano es lo más impredecible que hay, señora Rubio —pausó —. Especialmente cuándo se trata de alguien con la condición emocional de Edgar.

Marina volvió a echarse a llorar y se tapó la cara con la toallita húmeda y arrugada. Sentía vergüenza por derrumbarse en público.

—Discúlpenme, por favor. Es que me angustia mucho toda esta incertidumbre.

—Nosotros entendemos, señora Rubio. Pero debe comprender que el hecho de que vuelva a despertar no depende enteramente de nosotros. Ella suspiró e hizo un esfuerzo por controlar su llanto.

—Doctor, ¿cuándo podré verlo?

—Puede verlo ahora si quiere, pero no puede entrar en el cuarto. Solo desde la ventana. ¿Está bien? Vaya primero a donde mi secretaria para que le haga firmar la hoja de asistencia.

Marina salió de la oficina del doctor, tratando de lucir lo más calmada posible. Sacó un pañuelo de la cartera y se lo pasó suavemente por debajo de sus ojos para limpiarse el maquillaje corrido.

—¿Usted viene de parte de algún seguro? —le preguntó la secretaria.

—No.

—De acuerdo. Por favor, firme debajo de esta línea —dijo, señalando en donde decía: *Gracias por contar con Andor, porque Andor es para usted.*

—Déjeme sacar un bolígrafo.

—Aquí tiene uno rosado.

—Gracias.

—¿Va a pagar la cuota de hoy, o quiere esperar a la próxima quincena?

—Prefiero pagar hoy; ya traje el cheque listo.

—¿A nombre de quién hago la factura?

—Marina Rubio.

—Aquí tiene, muchas gracias.

—Hasta luego, señorita Ajena.

—Que pase una buena tarde.

Bajaron dos pisos por el ascensor y llegaron a un pasillo que se encontraba prácticamente a oscuras. Las paredes y las puertas eran de vidrio transparente, de forma que se pudiera observar a los pacientes que estaban dentro de las habitaciones, en un coma inducido. Se encontraban acostados en camillas, con cables rojos y azules conectados por medio de agujas clavadas en puntos específicos de las piernas, los brazos y la cabeza. Tenían una vía en el brazo por la que los alimentaban e hidrataban. A Marina se le fue acelerando el corazón a medida que se iban acercando a la habitación de su sobrino. El doctor y el enfermero iban susurrando entre ellos, acerca de las piernas de la nueva enfermera que había comenzado a trabajar con ellos esa tarde.

—Admito que las prefiero con más carne —dijo el doctor.

—Cualquier figura femenina siempre es de mi agrado —respondió Takeshi, con una sonrisa pacífica.

Cuando llegaron a la habitación de Edgar, Marina se pegó del vidrio de la pared y se echó a llorar de nuevo. El doctor la miró fijamente.

—Haremos lo posible por su bienestar, no se

preocupe.

—Gracias, doctor Radcliffe.

XVI

Colocaron un algodón impregnado de alcohol bajo mi nariz. Sentí como si hubiera sido revolcado por una manada de olas. Como si tuviera la cara rasgada por piedras y corales, y hubiese tragado sal de mar. Abrí un poco los ojos y descubrí que Takeshi y Mila estaban sentados frente a mí, esperando a que yo reaccionara.

—¿Qué me pasó? —pregunté cansado. Mi saliva tenía un leve sabor a mariscos.

—Te desmayaste —Mila me dio un vaso con agua azucarada. Traté de recordar qué fue lo último que pasó antes de que me desmayara. Lo único que me vino a la mente fue la imagen de Mila conversando conmigo en su compartimiento. Quité la mirada de sus caras y observé la ventana forrada de un glaseado blanco.

—Tengo hambre.

—¿Qué le provoca comer? —preguntó Takeshi.

—Cualquier cosa.

—Déjeme ir al comedor para pedirle algo. Mila se quedó callada, mirándome sin cambiar de expresión. Le sonreí. Pasé la mano por la ventana y quedó una huella alargada, por la que pude detallar la neblina volando alrededor del tren. Calculé que serían cerca de las seis de la tarde: la luz estaba cremosa y cálida. Los rayos del sol estaban escondiéndose detrás de las montañas nevadas. A lo lejos se veían unas casitas incrustadas en la nieve.

—Parece un pueblo fantasma, ¿verdad?

—¿Cómo? —le pregunté a Mila, despertando del ensimismamiento.

—Nada... —se volteó de nuevo. La calefacción en el tren se sentía agobiante y húmeda. Me provocaba quitarme la ropa y romper el vidrio para asomar la cara y respirar aire frío.

—¿A dónde es que estamos yendo?

Mila subió los hombros como si no supiera la respuesta y se quitó los lentes para limpiarlos. Takeshi apareció con una bandeja y la puso sobre mis piernas. Había un pedazo de torta de manzana y una taza de té negro. Me extrañó esa elección de comida, pero no dije una palabra. Pensé que probablemente no tenían más nada en el tren.

—Gracias —piqué un trozo de torta.

—Que la disfrute —se sentó al lado de Mila.

Mientras el bocado se desarmaba dentro de mi boca, observé la vestimenta de Takeshi. No tenía su uniforme de marinero habitual. Agarré la taza y tomé un sorbo. El líquido caliente terminó de disolver las migajas que estaban sobre mi lengua. Takeshi vestía unas botas negras y un uniforme verde oscuro, más bien pomposo. Cinturón con bolsillos y chaqueta de diferentes texturas alrededor del cuello.

—¿Por qué estás vestido como un cazador? ¿Qué pasó con tu uniforme de marinero?

—Ya no corresponde —hice una mueca con la boca y terminé de comer. Me levanté con la bandeja en las manos—. No se moleste, yo la llevo.

—No es molestia —insistí.

Salí del compartimiento con la bandeja y crucé un pasillo hasta llegar a un comedor. Todas las personas que estaban ocupando las mesas parecían disfrazados con vestimentas del siglo XIX. Las mujeres tenían peinados exuberantes y los hombres tenían un sombrero negro de copa, y un bastón junto al asiento. Se encontraban tomando el té con tazas y teteras de porcelana. Todos parecían muy educados y les brotaba cortesía por los ojos. Nadie parecía notar que yo estaba pasando por ahí. Dejé la bandeja en la esquina de una mesa y bajé la mirada para comprobar cómo estaba vestido. Nada había cambiado: seguía con una franela negra, un blue jean y unos zapatos de goma rojos. Volví al compartimiento y me encontré con que Takeshi y Mila estaban armando una torre con fichas de dominó.

—¡Kazuki, acompáñenos! —ponían una ficha sobre otra. Mila parecía estar aburrida. Me miraba de vez en cuando, elevando las cejas, como si estuviera suplicando que la sacara de esa actividad—. La paciencia es la máxima virtud que puede tener una persona.

El tipo no paraba de decir frases que parecían sacadas de galletas de la fortuna. Decidí rescatar a Mila de su miseria y agarré una de las fichas con intención de colocarla en la punta de la torre y destruir lo que ellos habían estado creando.

—Ya veo que Kazuki se entusiasmó con el juego — su comentario fue tan alegre que cambió el rumbo de mis acciones: busqué la forma de colocar la ficha en una buena posición.

Mila sonrió y colocó una pieza sobre la mía, de forma horizontal. Takeshi aplaudió después de cinco segundos de tensión en los que todos llegamos a pensar que la torre se desplomaría.

—Solo queda una ficha. Lo reto a usted, Kazuki.

—Es el turno de Mila.

—Yo también te reto a ti, Edgar.

Tomé la ficha y examiné las dos posibilidades que tenía. O la colocaba de forma vertical en la última fila, o la metía horizontalmente en la base de la torre. Jugué con la ficha entre los dedos, llenándola de sudor y de grasa. Era negra y tenía tres puntos blancos de un lado y cuatro puntos blancos del otro. Siete. Mila se estaba enrollando un mechón de cabello en el dedo índice y Takeshi estaba golpeando el pie izquierdo contra el suelo. Pasé la ficha de un dedo a otro, como si estuviera haciendo un truco de magia. Miré a Mila y ella me peló los ojos para darme un

166

empujón. Takeshi estaba tan sonriente como un gato con barba. Me eché hacia delante en el asiento, apretando los puños. Las piezas de la base de la torre estaban débiles, haciendo que el resto de las fichas se tambalearan de un lado a otro. Coloqué la pieza de forma horizontal con mucha sutileza. Los tres nos vimos a los ojos y luego estallamos en una carcajada al observar que la torre seguía ahí, frente a nosotros, intacta y brillante.

—¡Bravo! ¡Excelente partida! —Takeshi se levantó del asiento e hizo una reverencia con el sombrero. Se ajustó el cinturón del pantalón y desapareció del compartimiento.

—Qué hombre...

—¿Cómo terminaste jugando con Takeshi? —le pregunté, echándome para atrás en   el asiento.

—No sé... Un minuto estábamos mirándonos y al minuto siguiente me encontraba con una caja de fichas de dominó en las manos —solté una risa extraña y luego miré por la ventana—. ¿Cómo te sientes?

—Bien. Ya no estoy mareado.

Guardamos silencio e intercambiamos varias miradas largas y nítidas. No me intimidaba observarla directamente a los ojos. Era como ver a un bebé o a un perro. No tenía que pestañear, no necesitaba colorear el ambiente con conversaciones ajenas a nuestras vidas.

—¡Estamos por llegar a la primera estación! —interrumpió Takeshi, asomándose de pronto.

—¿Nos toca bajarnos aquí?

—A nosotros sí, Kazuki. Pero la señorita Mila debe esperar a la siguiente estación —sentí un bajón en el estómago cuando pensé en la idea de continuar mis días en Andor sin su compañía.

—¿Por qué? —pregunté inquieto.

—Cada quien tiene un destino diferente, Kazuki. A nosotros nos esperan en el primer andén.

—Está bien, Edgar. Igual nos volveremos a ver. Te lo prometo —medio un beso en la mejilla.

Todo pasó muy rápido. Observé a Mila sentada junto a la ventana del compartimiento. Seguí a Takeshi por un largo pasillo hasta llegar a la salida del tren. Nos dieron unos abrigos de invierno y saltamos al piso de la estación. Caminamos hasta llegar a la parada de carros. Nos recogieron en un jeep para llevarnos al hotel. El paisaje estaba completamente cubierto de nieve. De vez en cuando brotaban espirales de humo por las chimeneas de las casas. Las calles estaban vacías y cubiertas de hielo granizado. Parecía un pueblo fantasma, dije en voz baja, como si repitiera los pensamientos de alguien más. Llegamos a una posada con varias cabañas. Nos bajamos del jeep y entramos en la recepción. Una mujer vestida con un sombrero de piel de zorro y un vestido escotado que le moldeaba las tetas nos dio la llave para nuestra cabaña.

—Lola, permítame decirle que está más bella que nunca —Takeshi le besó la mano.

—Nunca dejarás de alabarme, ¿verdad? —le

respondió, riendo—. ¿Y quién es el guapo que me mira desde allá?

—Lola, él es Edgar. Estará acompañándonos por un tiempo.

—Ven, Edgar. Yo no muerdo.

La mujer se quitó el sombrero y saltó a la vista su pelo rojizo. Su piel era extremadamente blanca, y en ciertas zonas como los pómulos, los hombros y el pecho, tenía decenas de pecas superpuestas. Sus ojos eran negros y agudos. Me observó de los pies a la cabeza, como si yo fuera un puerco rostizado, y luego se apartó. Nunca había visto a una mujer con unas curvas tan pronunciadas. Tenía el cuerpo más hermoso que yo hubiera visto en mi vida.

—Él es mi esposo —se acercó a un hombre sesentón y atractivo.

—Mucho gusto. Hath —me dijo.

—Edgar —apreté fuertemente su mano.

—¿Cómo has estado, Takeshi? —le preguntó, sonriente—el tipo era detestablemente simpático. Alto, musculoso, de ancha espalda. Seguramente iba a un gimnasio—. Deberían acompañarnos a cenar.

—Sí, por favor, nos encantaría —insistió su esposa con una simpatía exagerada. Takeshi me miró buscando aprobación. No hice nada.

—Por supuesto —respondió por los dos.

—Edgar les tocará la puerta cuando sea la hora —nos dijo Hath.

—¿Edgar? —me sentí muy confundido.

—Edgar es nuestro mayordomo —explicó Lola.

—Por supuesto que lo es... —murmuré.

—¿Qué dices?

—Nada —respondí, desviando la mirada. Nos dirigimos a nuestra cabaña y un tipo vestido de cazador nos abrió la puerta. El lugar era prácticamente del mismo tamaño que la habitación que teníamos en el otro hotel. El cazador nos prendió la chimenea y, luego de sonreír, se esfumó. Yo me eché en un sofá de cuero que estaba frente a una ventana. La vista parecía un pesebre navideño: había millones de lucecitas parpadeando sobre las montañas nevadas. Encima de la chimenea había una cabeza de venado disecado. Sus ojos parecían vivos, sentí que me estaba espiando.

—¿Qué le parece, Kazuki?

—Definitivamente me gusta más que el otro hotel. Tiene más carácter.

—Me alegra —Takeshi se sentó en un sofá cerca de mí y prendió su pipa. El olor de la madera quemada se mezcló con el aroma de su picadillo.

—¿Cuánto tiempo llevan casados? —pregunté.

—¿Lola y Hath? Toda la vida. Desde que los conozco están casados —me lanzó una mirada aprensiva, como si estuviera desaprobando algo, y luego dirigió su atención a la pipa. Recorrí el resto de la cabaña. La decoración era rústica. El cuarto tenía dos camas individuales y un mueble lleno de ropa de montaña envuelta en plástico. Algunas camisas eran talla M y otras eran talla XXXL. Entré en el baño y observé el jacuzzi que estaba en la esquina. Sin pensarlo dos veces, le pasé el seguro a la puerta, me desvestí y abrí la manilla del agua caliente. Me vi el cuerpo desnudo en el espejo y luego me volteé para verme la espalda; me acomplejaba tenerla tan peluda. Cerré la manilla del jacuzzi, toqué el agua con la punta del pie y me senté en un escalón. Presioné el botón de burbujas y me eché hacia atrás. Apagué mi cerebro, dejando que el respaldar me masajeara, hasta quedar casi dormido. Pensé en Donatella. La recordé como una silueta húmeda, pero borrosa. La extrañé como se puede extrañar a un muerto. Salté a los ojos de Mila, al momento en que nos despedimos. Me prometió que nos volveríamos a ver. Tuve el deseo de fastidiarla y quitarle el libro de sus manos.

—Kazuki, el mayordomo está aquí —dijo Takeshi, tocándome la puerta.

—¿Llegó Edgar? —pregunté, con una risa burlona— .Ya voy, me estoy terminando de bañar. Me restregué la pasta de jabón entre las manos y luego cubrí mi cuerpo con la espuma. Al enjabonarme el pene, cerré los ojos rápidamente y me vino la imagen de Lola. Quise masturbarme y acabar con ella, pero no podía concentrarme sabiendo que Takeshi me estaba esperando afuera. Pensé en sus curvas, en sus tetas, en su boca, en su

171

cabello rojo sobre mi cara. Solté un gemido y apreté los ojos con más fuerza. Me agarré y comencé a hacerme la paja. Lola se sentó sobre mí, abrió sus piernas y me comenzó a morder el cuello. El movimiento de su cuerpo fue aumentando en velocidad y yo me fui haciendo más ruidoso. Mi mano comenzó a sonar como un motor debajo del agua. La espuma se desbordó del jacuzzi y empapó la toalla que estaba acostada en el piso. Lola dejó sus tetas sobre mi boca, me dejó besarle y morderle los pezones.

—Kazuki, ¿todo bien?

—Sí —respondí, sin aliento.

—Está saliendo agua por la ranura de la puerta.

—¡Dije que ya voy!

Con la otra mano apreté el botón para que se abriera el drenaje. No me detuve. La agarré de la cabeza y la puse en donde yo quería. Dona se veía más pálida que nunca. Sus tetas eran enormes y casi transparentes. Fue suave. Duro. Suave. Rápido. Lento. Rápido. Le agarré los muslos y me clavé en Mila, que estaba extendida en el piso con las piernas más abiertas que una trapecista. Lola se sentó en la espalda de ella y me dejó seguir revolcándome en sus tetas. Las dos comenzaron a restregar su cuerpo por mi cara. Sabía exactamente qué hacer con mi lengua.

—¿Kazuki?

No quise acabar en ese instante. Separé a Mila y me acosté encima de Dona. La vi a los ojos. Su cara se volvió negra y aplastada. Takeshi me miró en éxtasis y le pegué un coñazo. Busqué a Lola y la lancé contra la pared. Le agarré la pierna, se la levanté y la hice gritar. Las otras mujeres me lamían el culo. Lola se arrodilló para meter mi pene en su boca. Lo chupó como si realmente le supiera bien. Lento. Rápido. Más rápido. Mierda. Me limpié con la toalla y pasé a la habitación por la otra puerta. Me temblaba la mano izquierda. Agarré una camisa de botones negra y un blue jean. Me puse los mismos zapatos rojos y salí rápidamente para encontrarme con Takeshi.

—¿Qué pasó? —preguntó.

—¿De qué?

—¿Qué estaba haciendo con el agua?

—Limpiándome. ¿Qué más?

Takeshi me miró extrañado y luego abrió la puerta de la cabaña. Hacía un frío del carajo. Cada vez que respiraba dejaba una huella de humo en la oscuridad. Todo seguía igual de solitario. Me daba la sensación de que nosotros éramos los únicos hospedados en esas cabañas. Seguimos a Edgar, el mayordomo de ochenta años, y llegamos al comedor. Ahí estaban Hath y Lola, sentados cada uno con una copa de vino tinto.

—Decidimos esperarlos para abrir la botella de champaña.

—¿Qué estamos celebrando? —pregunté.

—Tu llegada, por supuesto —respondió Lola, con voz grave y seductora—. Edgar, siéntate a mi lado. Le hice caso como si no me la hubiera cogido cinco minutos antes.

173

—¿Les puedo ofrecer un habano? —Hath acercó la caja hacia nosotros.

—Gracias, muy amable —respondió Takeshi, agarrando uno.

—Edgar es muy joven para eso —Lola picó el ojo.

—¿Joven? —pregunté, mirándola a los ojos.

—No es *tan* joven —dijo Takeshi, con gentileza.

—Deja que se defienda solo, Takeshi —interrumpió, Hath, con una gran sonrisa—. Él tiene que aprender a estar por sí mismo. Hice caso omiso al comentario y agarré un habano.

—¿Me prestas el yesquero? —le susurré a Lola en el oído.

Ella permaneció callada, cazándome con la mirada, y le prendió fuego a la punta de mi habano. Hath descorchó la champaña y nos la sirvió en cuatro copas largas de cristal.

—¡Salud!

—¡Por su estadía!

—¡Por Edgar!

—¡Por nosotros! Las burbujas de la bebida revolotearon por mi garganta y cayeron suavemente en mi estómago.

—Está fantástica, amor —Lola le lanzó un beso a Hath.

—La tenía reservada para una ocasión muy especial.

—Qué amables, ¿verdad, Kazuki? Asentí y me limité a aspirar del habano y a beber de la champaña.

—Con permiso, voy a revisar el asado —dijo Lola, antes de pasarme por enfrente, rozando sus nalgas con mi cara.

—Mi esposa nunca ha sabido dejarle el mando de la cocina a nadie —comentó Hath, sonriente.

—Es una maravilla que le guste cocinar —agregó Takeshi.

—¡Edgar! ¿Por qué no me cuentas de ti? ¿Qué haces con tu vida? —me dijo Hath, cruzando las piernas.

—¿Con mi vida? —agarré la copa para tragar champaña eternamente.

—El concepto de "su vida" está un poco nebuloso en este momento, Hath —dijo Takeshi.

—No, está bien... —calmé a Takeshi—. Mi vida está en pausa, Hath. Estoy atorado en un momento de espera. Mi vida va a continuar cuando salga de Andor.

—¿Qué estás esperando para salir de Andor?

Lola apareció de la nada y nos pidió que pasáramos a la mesa. Ella misma colocó la bandeja con el asado en el centro y cinco hombres vestidos de cazadores sirvieron el resto de los platos. Edgar, el mayordomo, nos sirvió agua en una copa más baja y luego nos ofreció pimienta para la carne. Yo no tenía apetito, quería hablar con Takeshi en privado y hacerle un par de preguntas. Había algo raro detrás de esa pareja, pero no podía determinar qué era.

—¿Por qué no hay más huéspedes? —pregunté.

—¿Para qué quisiéramos más huéspedes si los tenemos a ustedes? —dijo Hath, mostrando su dentadura fosforescente. Quise darle un coñazo en la boca.

—¿Y para qué tienen tantas cabañas? —insistí. Hath iba a decir algo, pero Lola le cortó la inspiración.

—Algunas temporadas son más agitadas que otras, querido.

—¡Coman, por favor! —dijo Hath, sin poder disimular que estaba alterado.

—No queremos que se enfríe, ¿verdad, Hath? —le piqué el ojo.

XVII

No quise quedarme. El par de horas que estuve en esa cena fue una pérdida de tiempo. Parecía que Hath se sentía amenazado por mi presencia: no detuvo el interrogatorio contra mí. Estaba tratando de presionarme para que me resbalara y cometiera una estupidez frente a Lola. No iba a ponerme a discutir en su propia casa, así que me excusé cuando nos invitaron a quedarnos a tomar el café. Hath se despidió con un apretón de manos exagerado. Lola fijó un beso cerca de mi oreja. Takeshi dijo que se quedaría un rato más, porque quería ponerse al día con sus viejos amigos. Entré en nuestra cabaña y corrí a la chimenea para encenderla. Tenía los pies congelados y todo el cuerpo temblando. Estaba acostumbrado al clima tropical. Agarré tres troncos pequeños que estaban en un balde de hierro junto al sofá y los lancé adentro de la chimenea para prenderles fuego.

Pasó la medianoche y Takeshi no volvía de la cena. Me senté en el sofá y me recordé tomando café en la plaza Los Palos Grandes. Gritos de niños corriendo. Cornetas de carros. Música que anuncia el carrito de los helados. El agua de la fuente. Esa vida me pareció muy distante. Era una imagen desteñida que aún colgaba en algún lugar de mi memoria. Los colores eran opacos, los olores insípidos y los sonidos acuáticos. Me pregunté por Mila. Quise saber a dónde la habían enviado. Recosté mi cuerpo hacia atrás y contemplé el venado con sospecha. Cuando me aseguré de que no iba a parpadear, cerré los ojos y descansé un rato. Quedé dormido e incluso me parece que soñé. Creí escuchar una voz. Abrí los ojos y volteé hacia un lado. No vi a nadie. Me senté en el sofá y me soné la espalda. Alguien tocó una de las ventanas. Ahí estaba Lola, forrada en piel de zorro, pidiéndome que saliera. Me dio flojera tener que salir al frío, pero me puse los zapatos, el abrigo, unos guantes, y salí de la cabaña a ver qué quería.

—¿Qué pasa? —estaba malhumorado.

Me tomó del brazo y me arrastró por un camino de nieve. Todo parecía distorsionado. Probablemente eran las tres de la mañana y yo no había dormido mucho. Mis ojos se sentían pesados y el frío me daba dolor de cabeza. Lo único que quería era meterme en una cama tibia y dormir indefinidamente.

—¿En dónde están Hath y Takeshi? —pregunté.

—Están durmiendo. Se quedaron roncando en la sala hace una hora —dijo, exhalando vapor. Lola sacó una llave de su abrigo y abrió la puerta de una cabaña. Entramos y encendió una vela. Parecía un lugar vacío, excepto por unos potes de pintura que estaban regados en el piso y por unos rollos de tela recostados de las ventanas. No había chimenea. Por suerte, la calefacción estaba encendida. Me dejé caer en una esquina y recosté mi cabeza de la pared—. ¿Te importa si me duermo? —ella no se molestó en contestar. Se quitó el abrigo, quedando totalmente desnuda—. ¿Qué haces? —grité, disimulando mi excitación.

Me obligó a contemplarla y no pude sino sentirme bendecido. Nunca había visto desnuda a una mujer de esa edad en persona. Era maravillosa. Su boca carnosa estaba sonriente. Provocativa. Se agachó abriendo las piernas y brotó un olor salado. Me sacó los guantes con los dientes, mojando parte de la tela. Luego el abrigo y la camisa. Lentamente, rozándome con las uñas. Me quité el pantalón y lo tiré a un lado. Abrió un pote de pintura roja. Metió la mano y la sacó conteniendo un pozo escarlata. Se acercó meneando las caderas exageradamente, derramando el líquido sobre sus pies pálidos. Las tetas se balanceaban de un lado a otro. Le colgaban, pesadas. Como si en cualquier momento la sangre fuera a reventar su piel. Restregó la pintura contra mi espalda, dejándome una línea fría y visceral, atravesándome con ella. Apreté las manos contra el piso para resistir el roce y luego la miré con los ojos entrecerrados. Mi pene estaba erecto. A punto de salirse de mi cuerpo para entrar en el suyo. Lola volvió a agarrar pintura y esta vez la pasó por mis muslos, cerca de las bolas. Solté un gemido. La sujeté rápidamente por las muñecas. Presioné sus dedos contra mí. Mis pelos se volvieron pastosos. La tomé por el cuello. Delicado, suave, cilíndrico. Sus pezones estaban dilatados, como si se hubieran abierto ante mí. Pellizqué sus nalgas. Se apartó y extendió una tela color crema en el suelo. Vació los potes de pintura negra, roja y azul encima, y nos acostamos. Apreté su cuerpo contra mí. Rodamos siendo un solo molde por todo el piso. Nos mezclamos sabiendo que no podíamos ser pareja. Solo contábamos con la identidad que el secreto podía darnos.

Después de un rato de silencio y contemplación, ella sacó una caja de cigarros de su abrigo y encendió uno para mí y uno para ella. Lo aspiré con el mayor de los placeres. Lo dejé correr por mi garganta y luego soplé hacia el techo. Me senté y quedé recostado de la pared, con ella entre mis brazos. Miré sus ojos oscuros, como si no viera a través de ellos, como si fueran simplemente un par de metras clavadas en su cara. Estaba haciendo lo que quería en el momento en que quería. Tenía a esa mujer sobre mi cuerpo. Tibia, suave, madura. Tenía a un cigarro entre mis dedos. Eso era lo único que necesitaba.

—¿Cómo estás? —dijo de pronto, con su voz grave y femenina.

—Perfecto.

Ella sonrió y subió sus cejas anaranjadas. Se metió el cigarro entre los labios y botó el humo lejos de nosotros. Yo la observé fascinado. De pronto las mujeres con las que había salido en mi vida habían perdido vigencia. Incluso Donatella parecía deslucida frente a ella. Era como si Lola fuera la mujer que yo siempre había estado buscando. Con sus pómulos marcados. Sus labios gruesos. Su mirada vasta. Su edad.

—No sé nada de ti —dije pensativo.

—No hace falta que sepas de mí.

—Déjame conocerte —repliqué.

—¿Para qué? ¿No te parece más hermoso de esta forma, entre extraños? —permanecí en silencio.

—Yo no quiero que seas extraña para mí.

—Edgar, todo se arruina cuando conoces íntimamente a otra persona. Algo se quiebra y es irreparable.

—¿Lo que acaba de pasar no fue lo suficientemente íntimo para ti?

—No es lo mismo. A mí no me importa entregar mi cuerpo.

Tomé sus brazos y los sostuve fuertemente. Abrí sus piernas con mis rodillas y la penetré. Me sentí agresivo. Gimió e intentó separarse de mí. Apreté mis labios contra los suyos y dije adentro de su boca.

—¿Esto no es íntimo para ti? Halé su cabeza hacia atrás. Le mordí el cuello. Las tetas. Volví a su boca y la besé. Luego subí a su oreja.

—¿Te está importando entregarme tu cuerpo?

Le di duro, como nunca antes lo había hecho con nadie. Lo hice violentamente, sin importarme si le hacía daño. La volteé y la dejé boca abajo. Le abrí las piernas por detrás y me pegué a ella como un animal. La aplasté contra el piso y la volteé de nuevo hacia arriba. Tenía los ojos más oscuros que nunca. No había diferencia entre la pupila y el iris. Me veía reflejado en ellos.

—¿Qué diría tu esposo si te ve aquí conmigo? ¿Ah? ¿Qué diría Hath si ve que Edgar se agarró a su mujer?

Me vi acercándome y alejándome de su cara. Me vi cabalgando desnudo. Me vi abriendo la boca y gimiendo de rabia. Me vi deseando golpearla. Me vi dejando de verla. Me vi olvidando a Lola. Me vi siendo yo sobre una mujer. Me vi siendo un hombre perdido. Le solté las muñecas y me separé de ella. Me levanté rápidamente, retrocedí y la observé desde el otro lado de la cabaña. Desde el vacío.

—No sé qué estoy haciendo.

Ella me vio con los párpados caídos. Se arrastró con dificultad y se recostó de la pared. Agarró otro cigarro y se lo metió en la boca con torpeza. Le temblaban las manos. Aspiró el cigarro y se cubrió las piernas con el abrigo.

—Discúlpame.

Ya no sabía a quién estaba viendo. Lola se volvió la silueta de una mujer. La silueta de muchas mujeres. La silueta de todas las mujeres de mi vida. La miré con horror: quedó como un maniquí tirado en el suelo.

Rápidamente me puse la ropa, el abrigo, los zapatos, y corrí desde la puerta de esa cabaña hacia la nada. Corrí por un largo trecho sin ver hacia atrás. Hubiera querido arrancar las ramas de los árboles para clavármelas en los ojos y así dejar de ver la imagen de Lola bajo mi cuerpo. Lola. Lola. Lola. Los oídos me dolían por los hilos de viento helado. Corrí hasta caer de espaldas sobre un montículo de nieve. Cerré los ojos. El frío se extendió rápidamente por mis huesos, volviéndolos más tiesos. Me sentí huérfano otra vez. Estiré la mano y agarré nieve, me la llevé a la boca y dejé que se derritiera en mi lengua. Tragué agua. Necesitaba irme de ahí. Me levanté torpemente, tratando de hacerlo con prisa. Solo había blancura y negrura. Nieve, oscuridad y silencio. Ya no caían copos, únicamente deambulaba una neblina distante y sedosa, que ocultaba gran parte del paisaje. Apenas se vislumbraban los faroles frente a las cabañas y el humo saliendo de sus chimeneas.

—¿Me recuerda? —escuché de pronto. Volteé rápidamente hacia atrás y observé a un tipo que cargaba un par de sacos de yute. Era bajito. Su cara me lucía familiar. Tenía la nariz muy roja y un gorro negro ocultándole la cabeza. Traté de recordar en dónde lo había visto—. Usted me aseguró que me ayudaría —dijo animado. Froté las palmas de mis manos para conseguir calor, mientras detallaba sus facciones.

—Usted fue el que me dio la planilla rosada en la estación —dije finalmente, al reconocerlo. Él asintió con la cabeza y me pasó uno de los sacos. Era bastante pesado.

—Sígame, ya puede devolverme el favor —sonrió. Abrí el saco y miré el contenido: era sal.

—¿Qué quiere que haga con esto?

—Solo sígame, ya le explicaré —se montó el saco en la espalda e hizo un gesto para que caminara a su lado.

—¿Qué le parece si lo ayudo después? Ahora es un mal momento —arrimé el saco hacia él.

—Ahora es el momento perfecto —respondió tajante, amargo—. Usted me dio su palabra.

—Está bien, no se moleste —subí los hombros y agarré el paquete de sal, antes de que me lo tirara en la cabeza. Nos montamos en un trineo arrastrado por un grupo de perros y entramos en un bosque. La presencia de las estrellas en el cielo resaltaba con más intensidad desde esa oscuridad. El hombre sacó una cartera de licor de algún bolsillo y bebió. Luego me la pasó y dijo que tomara para que me diera calor. El trineo iba dejando dos huellas lineales en la nieve, a medida que los perros nos llevaban a quién sabe dónde. Yo me sujetaba, nervioso, listo para lanzarme en caso de que nos fuéramos a voltear.

—No se preocupe, ya estamos cerca —dijo al verme la cara de espanto.

Comenzó a nevar de nuevo y contemplé cómo los copos se hacían parte de la gran masa blanca. Mi visión estaba intervenida por troncos y ramas desnudas. Los árboles parecían cadáveres solitarios. Sin sombra, sin habla. Condenados como muertos a permanecer en el mismo lugar. El hombre haló las cuerdas que estaban amarradas al cuello de los perros y nos detuvimos frente a un lago congelado. La superficie estaba escarchada y una capa muy fina de neblina navegaba sobre ella.

—Ayúdeme a cubrir el lago con sal —a medida que caminaba, se le iban bajando los pantalones. Se le veía la raya del culo. Lo tenía peludo.

—¿No tienen máquinas que hacen esto?

—En esta estación no —respondió tranquilo—. Tiene que ser un trabajo manual.

Saltamos una baranda de madera y comenzamos a caminar sobre el lago. Tuve temor de que se rompiera el hielo y cayéramos adentro. Quedar congelado en Andor: vaya forma de vivir la eternidad. Metí la mano en el saco y agarré un puñado de sal. Lo esparcí alrededor de mi cuerpo y repetí el proceso.

—¿Por qué me ayudó a entrar en Andor?

—Así tenía que pasar.

—¿Usted cree que todo ocurre por una razón?

—¿Usted no? Traté de imaginar qué hubiera pasado si nunca me hubiese dado la planilla. Quién sabe cuánto tiempo habría tenido que pasar antes de que entrara en Andor. Quizás no hubiera tenido más contacto con Donatella. Otra habitación. Otro guía. Otro mapa. Otra historia.

—Supongo que sí —contesté.

—¿Valió la pena?

—Bueno, no sabría cómo responder eso, porque no tengo forma de comparar lo que pasó con la otra opción que tenía —el hombre me miró en silencio—. Si pudiera vivir dos veces, pudiera comparar si haber entrado antes a Andor fue mejor que haber esperado al día siguiente. ¿Entiende lo que digo?

—¿Por qué no aplica eso de forma macro? —sugirió.

—No entiendo... —sacudí el saco para nivelar la sal.

—¿Lo que usted está viviendo no es lo que desean muchas personas?

—¿Venir a Andor? —subí la mirada—. No creo que nadie sepa que Andor existe.

—Precisamente. ¿Acaso usted pensó que si moría,

185

tendría una segunda oportunidad para volver a vivir?

—No... Obviamente no —respondí.

—Entonces, ¿valió la pena? Miré la sal entre mis dedos y sentí que estaba cubriendo el lago como se cubre una herida con una gasa. El agua ya no estaba abierta, ya no era un espacio vulnerable y expuesto para la memoria. Su estado líquido era inexistente. Estaba sustituido por lo sólido. Por una capa cicatrizada. El hombre no me hizo más preguntas. Cuando terminamos me dejó donde me había recogido con el trineo y se despidió deseándome suerte para tomar la mejor decisión. Caminé de vuelta a la cabaña en donde había dejado a Lola para asegurarme de que estuviera bien.

—¡Takeshi! ¿Qué haces aquí?

—Kazuki, ¿qué le pasó?

—¿Qué? —dije, tratando de pensar en una excusa mientras buscaba a Lola con la mirada—. ¿Qué tal la cena? —pregunté nervioso.

—¿En dónde estaba? Lo hemos estado buscando desde hace rato.

—¿Quiénes?

—Mis amigos y yo, Kazuki. ¿Qué le pasa?

—¿Cuando dices "tus amigos" te refieres a Hath y a Lola?

—Por supuesto, ¿a quiénes más me iba a referir? Pensé que no quería quedarse más tiempo en la cena para poder irse a dormir.

—¿Has estado todo este tiempo con Hath y Lola?

—Sí, hace poco terminamos de tomar el café. ¿Qué pasa, Kazuki?

—Nada... —dije, mirando los potes de pintura sellados y el piso limpio de la cabaña—. Vámonos de aquí.

XVIII

Takeshi se acostó en la sala, cerca de la chimenea, y aspiró su pipa. De vez en cuando susurraba palabras sueltas, como si estuviera tratando de descifrar un acertijo. Eventualmente se quitó las botas con los talones y cerró los ojos para continuar con sus murmullos. Él parecía un poco ebrio; yo estaba desorbitado. Me acerqué a la ventana. Los copos de nieve se movían soplados por la brisa. Quería que ese mismo viento hiciera volar todas las cabañas del pueblo. Me vi girando en un torbellino nevado y frío, que eventualmente me escupiría en un lugar ajeno. Estaba listo para algo nuevo. No sabía qué y, por desgracia, eso no me causaba ninguna angustia. Al echarme en la cama, me arropé con una cobija térmica que encontré metida en el closet. Rocé las plantas de los pies contra las sábanas por un largo rato, hasta que me volteé para quedar boca abajo. Me sentí agotado, como si hubiera pasado las últimas horas de la noche viendo una película francesa de los años setenta. Por un momento tuve el impulso de masturbarme de nuevo, pero a los pocos segundos quedé dormido. Takeshi fue el que me despertó al día siguiente. Tenía una sartén en la mano llena de trozos de salchichas doradas y caramelizadas.

—Kazuki, ¿le apetece?

Lo observé con los ojos semiabiertos y un charco de baba rozando mi quijada. Ya no estaba vestido de cazador. Tenía un kimono de seda azul oscuro, amarrado con una faja ancha. Recordé que me había quitado los pantalones medio dormido, así que agarré la colcha rápidamente y me cubrí las piernas.

—¿No puedes tocar la puerta? —le dije molesto, recordando los momentos en que mi tía solía invadir mi privacidad.

—No se preocupe, no hay nada que temer. Conozco muy bien el cuerpo humano —dijo, metiéndose en la boca uno de los trozos de salchicha.

—¿Puedes salirte?

—Claro, claro. Lo espero afuera —contestó tranquilo.

Recogí los pantalones del piso, me los puse y me coloqué un suéter negro de cuello tortuga. La sala seguía a oscuras, aunque ya era plena mañana. Descubrí que seguía nevando al asomarme a través de la persiana. Takeshi dividió los trozos de salchicha en dos platos y me invitó a sentarme a la mesa.

—¿Jugo de naranja? ¡Está recién exprimido! —dijo triunfante. Me pareció extraño que se tratara de una fruta de clima tropical. Me dio un vaso lleno de pulpa antes de que le contestara. También sirvió café humeante en dos tazas de cerámica y varias tostadas de pan en un platico.

Tomé asiento y comencé a comer con un apetito descomunal. Sentí que finalmente estaba saciando un hambre que llevaba mucho tiempo enterrada en mi cuerpo.

—¿Cómo durmió, Kazuki? —preguntó con la boca llena.

—¿Qué tal si tragas? —dije, con un tono bastante pesado.

— ¿Así de mal? —lo miré en silencio y me limité a comer. Volví a contemplar su kimono, pero no sentí la necesidad de mostrar curiosidad: todo me daba exactamente lo mismo—. ¿Disfrutó la cena de ayer? —preguntó inquieto.

—Me gustó la comida.

—La verdad es que Lola es una excelente cocinera, no hay duda —tomó un sorbo de café—. Lástima que se fue.

—¿Cómo que se fue? —pregunté, recobrando mi capacidad de sentir intriga.

—Hath y Lola se fueron a pasar unos días en las Bahamas —arrugué la cara y Takeshi continuó—. Por el clima... les gusta el calor. No pude dejar de contraer la frente y de apretar el culo sobre el asiento. Cómo era posible que viajaran a las Bahamas. Comencé a toser como si tuviera un ataque de asma y Takeshi me pasó un vaso de agua tibia.

— Tengo náuseas.

—Vamos, Kazuki, quédese tranquilo. Que si no, no podré irme.

—¿También te vas a las Bahamas, gran carajo?

—No, yo iré a mi hogar.

—¿Y yo? —sentí un rechazo instantáneo por su kimono.

—Usted puede quedarse. Lola dejó las llaves con Edgar. Eché mi cabello para atrás y quedé en silencio. Takeshi me vio con una serenidad confusa. Subí los hombros y me levanté para darle el plato vacío. Él lo agarró y lo colocó en el lavaplatos. Abrió la llave de agua y contemplé el chorro limpiando los restos.

—¿Me acompaña a la estación? —asentí, sin querer hablar. Takeshi sonrió y sacó un sobre—. ¿Le podría dar esto a Edgar, mientras termino de recoger unas cosas? Tras abrigarme, salí hacia la cabaña principal, donde nos habían recibido la noche anterior. El sobre no tenía ni sello, ni firma, ni dirección. Nada. Las ramas de los pinos se agitaban fuertemente con el viento. La nieve seguía acumulándose sobre los techos, decolorando todo el paisaje. Se sentía como si estuviera limpiando toda la mugre del pueblo. Entré a la cabaña y sonó una campanita cuando abrí la puerta. Edgar estaba leyendo detrás de un mostrador. Después de verme, puso el libro a un lado. Abrió la palma de su mano y la dejó en el aire, como una pista de aterrizaje lista para recibir un avión. Le di la carta y esperé para ver qué iba a hacer con ella. El viejo metió el sobre entre las páginas del libro, justo donde había abandonado la lectura, y luego lo cerró.

—Takeshi sabe que nunca tengo marcalibro —dijo

con una voz casi extinguida.

Detallé sus rasgos. Sus ojos eran muy verdes, pero contenían una mirada sin asombro. Estaban escondidos por unos párpados arrugados y blandos. Por momentos parecía un perro triste. Casi no tenía cabello, y el restante era plateado y ondulado. Grasiento. Barba con grandes islas sin pelo. Toda su piel se veía insípida, como el forro viejo de un sofá, cansada de cubrir un cuerpo tan molesto por seguir existiendo. Abría la boca para respirar hondo y luego la apretaba para sonarse la garganta con aspereza. Cualquier movimiento parecía quitarle más energía de la usual. Aparentaba tomarse las cosas sin apuro, porque el tiempo que tenía en sus manos era demasiado.

—Gracias por traérmela —continuó, aún más débil. Tomó asiento y contempló su libro. Me sentí tentado a ver qué estaba leyendo—. Es el único de la biblioteca que no había leído.

—¿Lo... estás disfrutando? —hice un esfuerzo por sonreír. Edgar subió los hombros, parecía no estar muy seguro de qué responder. Arrugó los labios y se echó hacia atrás el cabello que le quedaba. El sonido del viento hacía eco en la recepción y nuestro silencio se ensanchaba hasta sentirse como un hueco amargo en mi estómago. Sentí pena por él. Entendí que su situación era irremediable—. Gracias por venir a visitar —subió los hombros—. Nadie había pasado antes por esta estación. Hice un gesto de amabilidad y me acerqué para estrecharle la mano antes de partir. Él se levantó del asiento con dificultad y extendió de nuevo su palma. Esta vez coloqué mi mano sobre la suya y luego apreté los dedos para agitar mi muñeca y despedirme.

—No creo que vuelva —Edgar me contempló en

silencio y luego se sonó la garganta.

—En ese caso, llévatelo tú —tomó el libro y me lo entregó boca abajo. Sonrió y cerró los ojos con sosiego. Yo sentí el peso sobre mis manos y luego me lo guardé bajo el brazo. Edgar volvió a sentarse y me miró resignado—. Lo apreciarás más que yo. Abrí la puerta, dejando sonar la campanita de nuevo, y caminé de vuelta a la habitación.

No había ruido, no había movimiento en las calles. Sin embargo, las chimeneas estaban encendidas y algunas casas desprendían hilos de luz a través de sus persianas. Era como atravesar un gran escenario o un parque temático abandonado. Temía abrir una puerta y descubrir que la casa estaba gobernada por marionetas. Decidí desviarme y pasar por la cabaña en donde había estado con Lola. La puerta estaba abierta. Tenía un post-it en blanco. Entré y me senté en el piso de madera. Ya no estaban ni los potes de pintura ni las telas, pero podía jurar que me había cogido a esa mujer. Las ventanas estaban sucias y los rayos del sol delataban las miserables partículas de polvo que flotaban en la habitación. Sentí la lengua agria al contemplar ese espacio a la luz del día. Era como ver a una puta a las diez de la mañana o una tienda navideña en pleno verano. Contemplé el libro de Edgar y pasé la mano por la carátula turquesa. Estaba corrugado. Viejo. Luego volví a ver las ventanas y así quedé por un largo rato; no sabría decir por cuánto tiempo. Me levanté y recorrí cada esquina con la vista. No pensé en nadie. Observé detenidamente las grietas de las paredes y los huecos del techo. Luego las tablas de madera que rodeaban la calefacción y acabé con la mirada de nuevo en mis zapatos. De pronto solo quise salir de ahí. Cerré la puerta, sujeté el libro con firmeza y me encaminé hacia Takeshi. Cuando llegué a nuestra cabaña, tuve la sensación de que él ya había partido. Eché un vistazo por la sala, el cuarto y el baño. La cama estaba tendida y las cobijas del sofá se encontraban dobladas. Olía como si recién hubieran coleteado el suelo de madera con algún producto aromatizado. La chimenea seguía encendida. Salí de nuevo y lo busqué con la mirada. Había pisadas en la nieve, pero no solo eran mías. Luego caminé alrededor, bordeando la casa, hasta llegar de nuevo a la entrada. Takeshi trancó la puerta de la cabaña y se acercó a mí.

—Pensé que te habías ido —observé de nuevo su kimono y luego bajé la mirada: tenía puestas unas medias que dividían su dedo gordo del resto del pie—. Te queda bien ese vestido. ¿Vamos? —Takeshi contuvo la risa e hizo un gesto para que caminara a su lado.

Recorrimos en silencio una senda rodeada de pinos nevados. Parecían medir al menos unos treinta metros de altura. Me gustaba apreciarlos en su ambiente natural. No decorados exageradamente en medio de una sala. Solo escuchaba la respiración de Takeshi y el rumor del viento. Yo miraba sus zapatos de madera y luego veía mis Converse de botín y me creía sumamente bendecido. Las ramas de los árboles se sacudían como tiburones hambrientos. Algunos copos de nieve me rozaban las mejillas y otros se depositaban en mi barba. De vez en cuando me sacudía inútilmente, solo para sentirme mejor conmigo mismo. Tenía el borde del zapato empapado y las trenzas sucias. Un frío húmedo derramándose desde mis rodillas hasta los talones y los dedos de los pies agarrotados. Observé que el lago de anoche estaba cerca de nosotros. Suspiré hondo. Takeshi me vio de medio lado.

—¿Estás apurado? —pregunté inquieto—. ¿A qué hora sale tu tren?

—Aún falta.

—¿Podemos pasar por el lago? Takeshi cerró los ojos y tensó la quijada. Me seguía en silencio, haciendo un esfuerzo por no mostrarse incómodo con su kimono. Parecía un pingüino tambaleándose de un lado a otro. Yo estaba tan serio que no pude reírme de sus acrobacias. Recogí un palo del suelo y se lo pasé para que se apoyara de él al caminar. Se negó a usarlo; incluso creo que le ofendió que lo quisiera ayudar. Traspasamos una cerca y comenzamos a caminar sobre el hielo. La superficie sólida recibía la cálida luz del sol y la regaba a su alrededor. Tuve la sensación de estar caminando sobre una vitrina, el mostrador de una tienda que existió alguna vez. Me subí el cuello del abrigo y soplé aire caliente.

—¿No te estás cagando del frío?

Takeshi negó con la cabeza y siguió, como si mi pregunta hubiera sido incoherente. El tipo no tenía ni piel de gallina. Era como si nada de lo que pasaba en Andor le afectara físicamente.

—El sonido del hielo al crujir es milagroso, ¿no lo cree, Kazuki?

No le respondí. Agudicé mi oído para escuchar y entender su fascinación. No todos los pasos hacían ruido. A veces el hielo se rasgaba levemente, otras veces se mantenía en silencio, esperando a ser pisado. Quedé mudo por unos minutos y luego me detuve en seco.

—Gracias.

Takeshi sonrió complacido. Quise abrazarlo pero me contuve en mi puesto, tieso, para evitar una situación sentimental e incómoda. Bajé la mirada y Takeshi siguió caminando con las manos cruzadas en la espalda. Quedé estático, viendo cómo se fue acercando a las verjas del otro lado. Me asomé entre mis pies. Imaginé peces congelados, algas de hielo, cadáveres de hombres que habían caído en ese abismo. Estornudé dos veces seguidas y humedecí mis labios. Acomodé el libro sostenido con la liga del pantalón y luego me estiré el cuello tortuga debajo del suéter. Subí la cara y vi que Takeshi estaba haciéndome señas para que terminara de cruzar. Volví a respirar hondo y lo seguí hasta la estación de tren.

XIX

La terminal se veía igual que el día anterior, pero ya no había marineros cargando maletas. Tampoco vi cazadores, ni cualquier otro hombre uniformado. Simplemente había personas por aquí y por allá, caminando con rapidez, montándose y bajándose de los trenes, esperando en los andenes, saludando y despidiéndose. Las estaciones me causaban ansiedad. Nunca fui bueno para despedirme. Takeshi recogió su ticket en una taquilla y luego me pidió que lo acompañara a sentarse en un banco para esperar su tren. Quedé paralizado, con los brazos cruzados. Él insistió que tomara asiento, pero yo no podía quedarme quieto.

—¿Aquí tienen café?

—Cerca de los baños hay un cafetín —respondió, señalándome hacia la derecha.

—Perfecto. Ya vuelvo.

—Kazuki... —Takeshi inhaló como si fuera a decir algo, pero al final creo que se guardó el comentario—.

197

Nada, siga caminando.

Yo tampoco hice mucho esfuerzo por saber qué era lo que iba a decirme. Seguí por donde dijo con las manos metidas en los bolsillos, hasta que llegué al baño de caballeros. Oriné y me observé en el espejo frente a la poceta. Cada vez parecía más y más viejo. Quizás eran las ojeras que se habían ido ensombreciendo con el tiempo. Fui al mostrador de la cafetería para pedir una caja de cigarros y un yesquero. Me extrañó que no fueran rosados, sino blancos. Encendí uno y me apoyé de la pared. Se aproximó un tren hasta detenerse frente a mí. Un grupo de personas se metieron con prisa, empujándose mutuamente en la puerta, como si no hubiera suficientes asientos. Había más hombres que mujeres, y más mujeres que niños. No vi a muchos viejos. Me senté en el piso y estiré las piernas. Saqué el libro de mi cintura y lo dejé bajo mi muslo. Inhalé el cigarro ansioso, hasta que no me alcanzó su cuerpo para sostenerlo entre los dedos. Rápidamente encendí otro y me dediqué a ver, a través de las ventanas del tren, cómo las personas se iban sentando en las cabinas. Nadie llevaba equipaje. Algunos se ponían a leer algo, otros se quedaban contemplando a través del vidrio. Una niña me hacía señas con la mano. Saqué el cigarro de mi boca y soplé el humo hacia ella. Luego agité la mano tímidamente para devolverle el saludo. Ella se rió y pegó la boca de la ventana como si estuviera dándome un beso. Se me resbaló el cigarro de los dedos, haciendo que se quemara parte de mi pantalón. Nervioso, subí la mirada y le sonreí a la niña. Una mujer la agarró por la cintura y la sentó a su lado. Le entregó un peluche y luego se puso a conversar con un hombre que tenía al frente. Saqué un tercer cigarro de la caja y lo fumé con más calma. Pedí un café negro. Lo tomé pegado a una columna que separaba ese espacio de un vestíbulo de espera. Metí la nariz en la taza para respirar su aroma cálido. De pronto se hizo incómodo cargar con la taza, el libro y el cigarro estando de pie, entonces me senté en una silla cerca de los andenes. El tren de la niña partió, dejando una estela de humo y ruido. Parecía del siglo antepasado. ¿De dónde coño sacaban esos trenes? ¿De un parque de atracciones? Sentí vértigo en el estómago, como si fácilmente pudiera perder el equilibrio encima de los rieles. Me arrimé hacia atrás con la silla y bebí otro sorbo. Extrañé el café venezolano. Una gata negra se estaba acercando, como si buscara calor. Bajé la mano para que me rozara. Su cola pasó muy cerca de mi codo y luego se enroscó en mi pierna izquierda. Lancé el cigarro a un lado y puse la taza y el libro en el piso, para tener las manos libres y jugar con ella.

—¿Cómo te llamas?

La gata maulló mostrando sus colmillos. Tenía los ojos dorados y brillantes. Me bajé de la silla y volví a sentarme en el suelo contra la pared. Ella me siguió y pasó por encima de mis piernas como si yo fuera su dueño. Moví el dedo índice entre sus orejas y ella cerró los ojos con agrado. Luego el resto de los dedos por su barriga peluda y la gata se refugió entre mi espalda y la pared. La observé desde arriba y me sentí feliz de que estuviera cómoda conmigo. En ese momento llegó otro tren y el piso de la estación tembló. Recordé que Takeshi estaba esperándome, así que me levanté para ir hacia él. La gata maulló de nuevo y me dio lástima dejarla ahí.

—¿Me acompañas?

Sostuve el libro bajo mi brazo, me agaché y la cargué para llevarla conmigo. Tropecé con una señora que llevaba un paraguas rojo y me desvié hacia un lado para caminar por donde no hubiera gente. Finalmente llegué al banco de Takeshi. No lo encontré. Lo busqué con la mirada, pero me perdí en la multitud que estaba subiéndose al tren. Tomé asiento y la gata brincó de mis brazos al suelo. Bajé la mano y comencé a llamarla para que viniera a mí. Ella volvió a acercarse y le pasé los dedos por la cabeza.

—Takeshi se fue.

Me miró como si entendiera lo que le estaba diciendo y volvió a brincarme en las piernas. La acaricié y subí la mirada para contemplar el tren. Pasé los ojos por las ventanas, los vagones verdes, la capa de humo arrastrándose por el techo. La gata comenzó a jugar con los hilos sueltos de mi suéter. Nunca había visto a una criatura así de entretenida con algo tan inútil. La dejé que jugara un rato hasta que me sentí atascado en ese banco. Ya se habían ido varios trenes desde mi llegada a la estación esa tarde. La gata comenzó a arañarme como si fuera una pequeña pantera y la solté.

—¿Tú también te vas?

Ronroneó y pisó la punta de mi zapato. Decidí dejarla en paz y seguí caminando sin rumbo. Ella me siguió por un rato y luego brincó sobre una mesa desocupada. La estación parecía infinita. Nunca llegaba a ningún extremo. En algunas partes hacía más frío que en otras. A cada rato sonaba un parlante que anunciaba en cuánto tiempo iba a llegar el próximo tren. Sentí el impulso de meterme en cualquiera, sin saber a dónde podría llevarme. También pensé que lo mejor sería preguntar cuál me llevaría a la estación del primer día. Increíblemente, no me desesperó el hecho de no tener una ruta precisa. Seguí caminando a paso muy lento. Había un hombre cubierto con telas y andrajos que tocaba un saxofón. Tenía el estuche del instrumento abierto frente a él. Me quedé por unos minutos para escucharlo. Cerré los ojos y me imaginé durmiendo en mi cama de Caracas. Quise entrar en mi cocina. Abrir la ducha de mi baño. Me pareció curiosa la melodía que estaba tocando el músico. Estaba cansado de tanto viaje. Era sorprendente que mi flojera usual hubiera dado para tanto. Observé la portada del libro. Pasé la mano por el lomo y luego vi la parte de atrás. Estaba forrado de cuero turquesa. Lo abrí y soltó un hedor a encerrado que me hizo estornudar. Las páginas estaban muy deterioradas, pero la tinta de su perfecta caligrafía aún era bastante legible. Automáticamente fui a la última página. Ahí seguía su foto, en blanco y negro. Intacta.

Raquel Abend van Dalen (Caracas, 1989) es autora de *Cuarto azul* (Madrid, Kalathos edciones, 2017) *Sobre las fábricas*, (NY, Sudaquia Editores, 2014), *Lengua Mundana* (Bogotá, Común Presencia Editores, 2012), *Andor* (Caracas, Bid&Co.Editor, 2013), y coautora del libro *Los días pasan y las formas regresan* (Caracas, Bid&Co. Editor, 2013). Seleccionó y prologó *La cajita cabrona, Sistemas inc.* (Caracas, Editorial Cráter, 2016).

www.raquelabendvandalen.com